FRANCIS FRITH'S
NOSTALGIC WALES ADDRESS BOOK

LLYFR CYFEIRIAD CYMRU HIRAETHUS
FRANCIS FRITH

First published in the United Kingdom in 2003 by
The Francis Frith Collection

ISBN 1-85937-755-6

The Francis Frith Collection
Frith's Barn, Teffont,
Salisbury, Wiltshire SP3 5QP
Tel: +44 (0) 1722 716 376
Email: info@francisfrith.co.uk
www.francisfrith.co.uk

Printed and bound in China

ROEDD FRANCIS FRITH sylfaenydd yr archif ffotograffig byd enwog yn ddyn cymhleth ac yn aml dalentog. Roedd yn Grynwr defosiynol ac yn ddyn busnes Fictoraidd llwyddianus iawn, roedd yn athronyddol wrth natur ac yn arloeswr yn ei weledigaeth.

Erbyn 1895 roedd eisoes wedi sefydlu busnes groser cyfanwerthol yn Lerpwl a'i werthu am y swm rhyfeddol o £200,000.00 sy'n gyfartal â dros £15,000,000.00 heddiw. Nawr fel aml filiwnydd roedd yn gallu maldodi yn ei angerdd am deithio. Fel plentyn ifanc roedd wedi darllen llyfrau teithio gan y fforwyr cynnar ac roedd ei dychymyg a'i ddarfelydd wedi ei cyffro gan wyliau'r teulu i ranbarthau mynyddig Cymru a'r Alban. 'Pa fath o wlad sy'n cyffro'r ysbryd gyda golygfeydd a lleoedd cyfoethog', roedd wedi ysgrifennu. Roedd i ddychwel i'r golygfeydd mawreddog ym mlynyddoedd diweddar i 'ail-ddal y miloedd o atgofion disglair a thyner' ond nawr gyda phwrpas gwahanol. Nawr yn ei dridegau, ac wedi ei gaethiwo gan yr wyddor newydd o ffotograffiaeth, dechreuodd Frith ar gyfres o deithiau arloesol lan Y Nil ac i'r Dwyrain Agos a oedd wedi ei feddiannu rhwng 1856 a 1860.

CHWILFRYDEDD A FFORIO

Roedd y teithiau pell yma yn llawn o chwilfrydedd ac anturiaeth. Yn hanes ei fywyd, a ysgrifennwyd pan oedd yn 63 oed, mae Frith yn sôn am gael ei gipio gan ysbeilwyr ac am 'ymladd brwydr ofnadwy, bron i'r pwynt o ildio, canol nos gyda chnud o gŵn gwyllt newynog. Gan wisgo gwisg llifeiriol Arabaidd, cyrhaeddodd Frith Akaba ar gefn camel 70 mlynedd cyn Lawrence o Arabia, lle daeth ar draws 'tywysogion yr anialwch a shîcs gwrthwynebus, yn ffaglu o glefydau â charnau yn llawn gemau'. Ef oedd y ffotograffydd cyntaf i anturio y tu hwnt i chweched rhaeadr Y Nil. Roedd Affrica yn dal i fod yn ddirgel fel y 'Cyfandir Tywyll' ac roedd y cyfarfod rhwng Stanley a Livingstone yn ddegawd yn dyfodol. Roedd amodau i gymryd lluniau y tu hwnt i gred. Bu'n llafurio am oriau yn ei ystafell dywyll wiail yng ngwres llethol yr anialwch, tra roedd y cemegolion anweddol yn sïo'n beryglus yn eu costrelau.

Nôl yn Llundain arddangosodd ei luniau a chafodd 'ganmoliaeth afieithus' gan aelodau'r gymdeithas Frenhinol. Cafodd enw da dros nos.

MENTER AM OES

Yn nodweddiadol, gwelodd Frith gyfle i greu busnes newydd fel arbenigwr cyhoeddi ffotograffau. Roedd yn byw mewn cyfnod o newid anferth ac ar brydiau, cyfnod treisgar. Roedd gwaith y tlodion yng nghyfnod cynnar teyrnasiad Fictoria, yn llafurus a'r oriau yn hir, ac roed gan bobl bach iawn o amser drudfawr i fwynhau eu hunain.

Roedd gan y rhan fwyaf ddim modd o drafnidiaeth heblaw am gart neu gig at eu defnydd, ac yn anaml y byddent yn teithio y tu allan i ffiniau eu tref neu eu pentref. Serch hynny erbyn yr 1870[au] roedd y rheilffyrdd wedi edafu eu ffyrdd ar draws

y wlad, ac roedd Gwyliau Banc a hanner diwrnod ar ddydd Sadwrn wedi eu gorfodi gan Ddeddf Seneddol. Yn sydyn roedd gweithwyr cyffredin a'u teuluoedd yn gallu mwynhau diwrnodau bant a gweld tipyn bach mwy o'r byd.

Gyda'i grafter busnes nodweddiadol, rhagwelodd Francis Frith y byddai angen ar y twristiaid newydd yma i fwynhau cofroddion i gofio am eu diwrnodau bant. Ym 1860, priododd â Mary Ann Rosling a chychwyn ar yrfa newydd: ei amcan oedd gwneud ffotograffau o bob dinas, tref a phentref ym Mhrydain. Dros y 30 mlynedd nesaf teithiodd ar draws y wlad ar drenau, ac ar ferlen a thrap, yn cynhyrchu ffotograffau gwych o gyrchfannau glan y môr a llecynnau prydferth a brynwyd yn frwd gan filiynau o Fictoriaid. Gludwyd y lluniau yn ofalus y tu fewn i albymau'r teulu a phorwyd trwyddynt yn ystod nosweithiau tywyll y gaeaf, gan ailgynnau atgofion gwerthfawr am wibdeithiau'r haf.

Roedd stiwdio Frith yn cyflenwi siopau adwerthol ar draws y wlad. Er mwyn diwallu'r galw, casglodd dîm bach o ffotograffwyr o'i amgylch a chyhoeddodd gwaith arlunwyr-ffotographwyr safonol fel Roger Fenton a Francis Bedford. Er mwyn ennill dealltwriaeth o raddfa'r fusnes does dim ond eisiau edrych ar gatalog a gyhoeddwyd gan Frith a'i Gwmni ym 1886; mae'n rhedeg i 670 o dudalennau gan restru nid

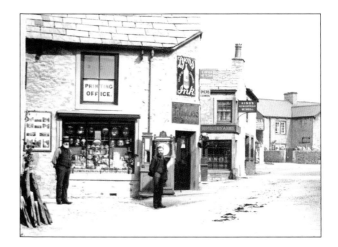

yn unig miloedd o olygfeydd o Ynysoedd Prydain ond nifer o ffotograffau o'r rhan fwyaf o wledydd Ewrop, Tsieina, Japan, Unol Daleithiau Yr Amerig a Chanada – sylwch ar y ddalen siampl a ddangosir yma, o lyfr cyfrifon Frith a'i Gwmni, mewn llaw ysgrifen, yn cofnodi'r darluniau. Erbyn 1890 roedd Frith wedi creu y cwmni cyhoeddi ffotograffiaeth arbenigol mwyaf yn y byd, gyda mwy na 2000 allfeydd gwerthu – mwy na'r rhif cyfunol allfeydd sydd gan Boots a W H Smith heddiw!

Mae'r darlun uchod yn dangos bwrdd arddangos Frith a'i Gwmni yn Ingleton, yn Nyffrynnoedd Swydd Efrog. Adeiladwyd y bwrdd yn brydferth gyda ffrâm mahogani a mewnosodiadau goreurog, roedd yn gallu arddangos hyd at ddwsin o olygfeydd lleol.

Cymerodd y Cardiau Post bythol boblogaidd yr ydym ni'n gwybod amdanynt heddiw nifer o flynyddoedd i'w datblygu. Yn 1870 cyhoeddodd y Swyddfa Bost y garden blaen gyntaf, gyda stamp wedi ei argraffu ar un ochr. Ym 1894 cafwyd cyhoeddwyr cardiau eraill ganiatâd gan y Swyddfa Bost i ddanfon eu cardiau trwy'r post, gyda stamp dimai wedi gludo arnynt. Tyfodd y galw yn gyflym ac ym 1895 caniatawyd carden bost newydd a alwyd yn garden llys, ond nid oedd lawer o le ar gyfer darluniau. Ym 1899, blwyddyn ar ôl marwolaeth Frith, daeth carden newydd yn mesur 5.5 x 3.5

modfedd yn fformat safonol, ond nid hyd 1902 y daeth carden wedi ei wahanu ar y cefn i fodolaeth, a oedd yn caniatáu cyfeiriad a neges ar yr un ochr a darlun llawn ar yr ochr arall. Frith a'i Gwmni oedd ar flaen y gad ar ddatblygiad cardiau post: roedd meibion Frith, Eustace a Cyril, wedi parhau tasg anferthol eu tad, yn ehangu niferoedd y golygfeydd a gynigwyd ir cyhoedd ac yn cofnodi mwy a mwy o leoedd ym Mhrydain, wrth i'r arfordiroedd a chefn gwlad gael eu hagor i dyrfaoedd o deithwyr.

Bu farw Francis Frith yn ei fila yn Cannes, a'i brosiect yn parhau i dyfu. Bu i'r archif a greoedd barhau am 70 mlynedd arall. Erbyn 1970, roedd yn cynnwys dros draean o filiwn o ddarluniau yn dangos 7,000 o drefi a phentrefi Prydeinig.

ETIFEDDIAETH FRITH

Mae Etifeddiaeth Frith o arwyddocâd anferth a gwerthfawr, oherwydd fod ei archif gwych o ffotograffau atgofus yn darparu cofnod unigryw i gofnodi'r newid yn ninasoedd, trefi a phentrefi ar draws Prydain am dros ganrif a mwy. Roedd Frith a'i gymrodyr o ffotograffwyr–stiwdio wedi ail ymweld â lleoliadau nifer o weithiau ar hyd y blynyddoedd i ddiweddaru eu golygfeydd, gan grynhoi pasiant swynol a lliwgar o fywyd a chymeriad Prydeinig ar ein cyfer.

Yr ydym yn ffodus fod Frith wedi ymrwymo i gofnodi mân fanylion bywyd pob dydd. Am ei gyfoeth pur o ddata gweladwy, cronicl gofalus o newidiadau yng ngwisgoedd, trafnidiaeth, patrwm strydoedd, adeiladau, cartrefi, peirianneg a thirluniau sy'n denu cymaint arnom heddiw. Mae ei ddelwedd nodedig yn cynnig cyswllt nerthol i ni â'r gorffennol a bywydau'n hynafiaid.

GWERTH YR ARCHIF HEDDIW

Mae cyfrifiaduron wedi ein galluogi ni i gael mynediad at filoedd o ddelweddau bron ar ebrwydd. Mae delweddau Frith yn cael eu defnyddio fwyfwy fel adnoddau gweledol, gan haneswyr cymdeithasol, ymchwilwyr achau a llinachau, penseiri a chynllunwyr trefi, a chan athrawon a disgyblion sy'n ymglymedig mewn prosiectau hanes lleol.

Yn ychwanegol, mae'r archif yn cynnig cyfle i bob un ohonom i archwilio'r llefydd lle mae ein teuluoedd wedi byw a gweithio dros y blynyddoedd. Yn lwyddiant ysgubol yn oes Frith, mae'r archif nawr, ymhen canrif a mwy, yn dechrau cyfnod newydd o boblogrwydd.

Y GORFFENNOL MEWN TIWN Â'R DYFODOL

Mae haneswyr yn ystyried fod casgliad Francis Frith o brif bwysigrwydd cenedlaethol. Dyma'r unig archif o'i bath sy'n parhau mewn perchnogaeth preifat. Llieolir yr archif mewn ysgubor bren hanesyddol ym mhentref prydferth Teffont, Wiltshire. Ni fyddai'r sylfaenydd yn adnabod swyddfa'r archif fel y mae heddiw. Yn lle o nifer o filoedd o flychau llychlyd yn cynnwys negatifau ar blatiau gwydr ac arogl treiddiol cemegol ffotograffig arnynt; nawr mae rhesi o sgriniau cyfrifiadurol. Byddai'n rhyfeddu i weld ei ddelweddau yn teithio o amgylch y byd ar gyflymdra y tu hwnt i'r dychymyg drwy linellau'r rhyngrwyd.

Mae dyfodol yr archif yn ddisglair ac yn gyffrous. Byddai Francis Frith a'i gred diysgog wrth wneud ffotograffau ar gael i'r nifer mwyaf o'r bobl yn cymeradwyo yn ddiamheuol beth sy'n digwydd heddiw i waith ei fywyd. Mae ei ffotograffau yn dangos ein gorffennol cyfrannol yn dod â phleser a goleuedigaeth i filiynau o amgylch y byd, canrif a mwy ar ôl ei farwolaeth.

FRANCIS FRITH, Victorian founder of the world-famous photographic archive, was a complex and multi-talented man. A devout Quaker and a highly successful Victorian businessman, he was philosophic by nature and pioneering in outlook.

By 1855 he had already established a wholesale grocery business in Liverpool, and sold it for the astonishing sum of £200,000, which is the equivalent today of over £15,000,000. Now a multi-millionaire, he was able to indulge his passion for travel. As a child he had pored over travel books written by early explorers, and his fancy and imagination had been stirred by family holidays to the sublime mountain regions of Wales and Scotland. 'What a land of spirit-stirring and enriching scenes and places!' he had written. He was to return to these scenes of grandeur in later years to 'recapture the thousands of vivid and tender memories', but with a different purpose. Now in his thirties, and captivated by the new science of photography, Frith set out on a series of pioneering journeys up the Nile and to the Near East that occupied him from 1856 until 1860.

INTRIGUE AND EXPLORATION

These far-flung journeys were packed with intrigue and adventure. In his life story, written when he was sixty-three, Frith tells of being held captive by bandits, and of fighting 'an awful midnight battle to the very point of surrender with a deadly pack of hungry, wild dogs'. Wearing flowing Arab costume, Frith arrived at Akaba by camel seventy years before Lawrence of Arabia, where he encountered 'desert princes and rival sheikhs, blazing with jewel-hilted swords'.

He was the first photographer to venture beyond the sixth cataract of the Nile. Africa was still the mysterious 'Dark Continent', and Stanley and Livingstone's historic meeting was a decade into the future. The conditions for picture taking confound belief. He laboured for hours in his wicker dark-room in the sweltering heat of the desert, while the volatile chemicals fizzed dangerously in their trays. Back in London he exhibited his photographs and was 'rapturously cheered' by members of the Royal Society. His reputation as a photographer was made overnight.

VENTURE OF A LIFE-TIME

Characteristically, Frith quickly spotted the opportunity to create a new business as a specialist publisher of photographs. He lived in an era of immense and sometimes violent change. For the poor in the early part of Victoria's reign work was exhausting and the hours long, and people had precious little free time to enjoy themselves. Most had no transport other than a cart or gig at their disposal, and rarely travelled far beyond the boundaries of their own town or village. However, by the 1870s the railways had threaded their way across the country, and Bank Holidays and half-day Saturdays had been made obligatory by Act of Parliament. All of a sudden the ordinary working man and his family were able to enjoy days out and see a little more of the world.

With typical business acumen, Francis Frith foresaw that these new tourists would enjoy having souvenirs to commemorate their days out. In 1860 he married Mary Ann Rosling and set out on a new career: his aim was to photograph every city, town and village in Britain. For the next thirty years he travelled the country by train and by pony and trap, producing fine photographs of seaside resorts and beauty spots that were keenly bought by millions of Victorians. These prints were painstakingly pasted into family albums and pored over during the dark nights of winter, rekindling precious memories of summer excursions.

THE RISE OF FRITH & CO

Frith's studio was soon supplying retail shops all over the country. To meet the demand he gathered about him a small team of photographers, and published the work of independent artist-photographers of the calibre of Roger Fenton and Francis Bedford. In order to gain some understanding of the scale of Frith's business one only has to look at the catalogue issued by Frith & Co in 1886: it runs to some 670 pages, listing not only many thousands of views of the British Isles but also many photographs of most European countries, and

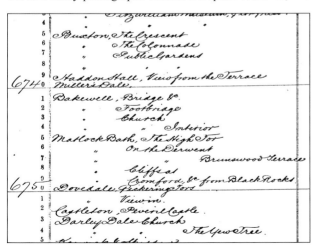

China, Japan, the USA and Canada - note the sample page shown here from the hand-written Frith & Co ledgers recording the pictures. By 1890 Frith had created the greatest specialist photographic publishing company in the world, with over 2,000 sales outlets - more than the combined number that Boots and WH Smith have today! The picture above shows the Frith & Co display board at Ingleton in the Yorkshire Dales. Beautifully constructed with mahogany frame and gilt inserts, it could display up to a dozen local scenes.

POSTCARD BONANZA

The ever-popular holiday postcard we know today took many years to develop. In 1870 the Post Office issued the first plain cards, with a pre-printed stamp on one face.

In 1894 they allowed other publishers' cards to be sent through the mail with an attached adhesive halfpenny stamp. Demand grew rapidly, and in 1895 a new size of postcard was permitted called the court card, but there was little room for illustration. In 1899, a year after Frith's death, a new card measuring 5.5 x 3.5 inches became the standard format, but it was not until 1902 that the divided back came into being, so that the address and message could be on one face and a full-size illustration on the other. Frith & Co were in the vanguard of postcard development: Frith's sons Eustace and Cyril continued their father's monumental task, expanding the number of views offered to the public and recording more and more places in Britain, as the coasts and countryside were opened up to mass travel.

Francis Frith had died in 1898 at his villa in Cannes, his great project still growing. The archive he created continued in business for another seventy years. By 1970 it contained over a third of a million pictures showing 7,000 British towns and villages.

FRITH'S LEGACY

Francis Frith's legacy to us today is of immense significance and value, for the magnificent archive of evocative photographs he created provides a unique record of change in the cities, towns and villages throughout Britain over a century and more. Frith and his fellow studio photographers revisited locations many times down the years to update their views, compiling for us an enthralling and colourful pageant of British life and character.

We are fortunate that Frith was dedicated to recording the minutiae of everyday life. For it is this sheer wealth of visual data, the painstaking chronicle of changes in dress, transport, street layouts, buildings, housing, engineering and landscape that captivates us so much today. His remarkable images offer us a powerful link with the past and with the lives of our ancestors.

THE VALUE OF THE ARCHIVE TODAY

Computers have now made it possible for Frith's many thousands of images to be accessed almost instantly. Frith's images are increasingly used as visual resources, by social historians, by researchers into genealogy and ancestry, by architects and town planners, and by teachers and schoolchildren involved in local history projects.

In addition, the archive offers every one of us an opportunity to examine the places where we and our families have lived and worked down the years. Highly successful in Frith's own era, the archive is now, a century and more on, entering a new phase of popularity.

THE PAST IN TUNE WITH THE FUTURE

Historians consider the Francis Frith Collection to be of prime national importance. It is the only archive of its kind remaining in private ownership. Francis Frith's archive is now housed in an historic timber barn in the beautiful village of Teffont in Wiltshire. Its founder would not recognize the archive office as it is today. In place of the many thousands of dusty boxes containing glass plate negatives and an all-pervading odour of photographic chemicals, there are now ranks of computer screens. He would be amazed to watch his images travelling round the world at unimaginable speeds through internet lines.

The archive's future is both bright and exciting. Francis Frith, with his unshakeable belief in making photographs available to the greatest number of people, would undoubtedly approve of what is being done today with his lifetime's work. His photographs depicting our shared past are now bringing pleasure and enlightenment to millions around the world a century and more after his death.

CAERFYRDDIN, Y FFAIR GEFFYLAU TUA c1950   C31086
Carmarthen, The Horse Fair c1950   C31086

Roedd Ffair Geffylau Caerfyrddin yn gyfwerth â ffeiriau Appleby yn Cumbria ac fe'i cynhelir mor ddiweddar â 1955. Nid oedd marchnadoedd a ffeiriau yn newydd i'r dref oherwydd dan Siarter Harri'r VIII cafwyd tafarnwyr yr hawl i agor trwy'r dydd ar y pum diwrnod marchnad.

Carmarthen's horse fairs were the Welsh equivalent of the Appleby fairs in Cumbria, and were still being held as late as 1955. Markets and fairs are not new to the town, as a Charter of Henry VIII gave the innkeepers the right to open all day on the five market days.

A

Enw / Name

Enw / Name

Cyfeiriad / Address

Cyfeiriad / Address

Rhif Ffôn(au) / Phone(s)

Rhif Ffôn(au) / Phone(s)

Enw / Name

Enw / Name

Cyfeiriad / Address

Cyfeiriad / Address

Rhif Ffôn(au) / Phone(s)

Rhif Ffôn(au) / Phone(s)

Enw / Name

Enw / Name

Cyfeiriad / Address

Cyfeiriad / Address

Rhif Ffôn(au) / Phone(s)

Rhif Ffôn(au) / Phone(s)

Enw / Name

Cyfeiriad / Address

Rhif Ffôn(au) / Phone(s)

CONWY, Y BONT GROG 1906 54810
Conway, The Suspension Bridge 1906 54810

Enw / Name

Cyfeiriad / Address

Rhif Ffôn(au) / Phone(s)

Enw / Name

Cyfeiriad / Address

Rhif Ffôn(au) / Phone(s)

Enw / Name

Cyfeiriad / Address

Rhif Ffôn(au) / Phone(s)

Enw / Name

Cyfeiriad / Address

Rhif Ffôn(au) / Phone(s)

Enw / Name

Cyfeiriad / Address

Rhif Ffôn(au) / Phone(s)

Enw / Name

Cyfeiriad / Address

Rhif Ffôn(au) / Phone(s)

CASTELL CAERDYDD, YR OCHR DDE 1893 32670a
Cardiff Castle, South Side 1893 32670a

Enw / Name

Cyfeiriad / Address

Rhif Ffôn(au) / Phone(s)

Enw / Name

Cyfeiriad / Address

Rhif Ffôn(au) / Phone(s)

Enw / Name

Cyfeiriad / Address

Rhif Ffôn(au) / Phone(s)

Enw / Name

Cyfeiriad / Address

Rhif Ffôn(au) / Phone(s)

Enw / Name

Cyfeiriad / Address

Rhif Ffôn(au) / Phone(s)

Enw / Name

Cyfeiriad / Address

Rhif Ffôn(au) / Phone(s)

Enw / Name

Cyfeiriad / Address

Rhif Ffôn(au) / Phone(s)

Enw / Name

Cyfeiriad / Address

Rhif Ffôn(au) / Phone(s)

Y RHYL, Y TRAETH 1891 29151
Rhyl, The Sands 1891 29151

Mae'r Rhyl yn enwog am ei ehangder mawr wyntog o draeth sy'n wynebu Bae
Lerpwl. Yma, roedd bechgyn asynnod a'u hanifeiliaid yn aros am gyrhaeddiad
ymwelwyr y diwrnod ar y traeth dan wyliadwriaeth pysgod wraig mewn het dal.
Byddai hithau'n crwydro'r traethau yn gwerthu cocos ffres, newydd eu dal, a
physgod cregyn eraill i'r ymwelwyr.

*Rhyl is famous for its great windy expanse of beach facing Liverpool Bay. Here,
donkey boys and their mounts are awaiting the arrival of the day's holidaymakers
on the beach, watched by a fisherwoman in a tall hat. She would wander the sands
hawking freshly-caught cockles and other shell-fish to the visitors.*

B

Enw / Name

Cyfeiriad / Address

Rhif Ffôn(au) / Phone(s)

Enw / Name

Cyfeiriad / Address

Rhif Ffôn(au) / Phone(s)

Enw / Name

Cyfeiriad / Address

Rhif Ffôn(au) / Phone(s)

Enw / Name

Cyfeiriad / Address

Rhif Ffôn(au) / Phone(s)

Enw / Name

Cyfeiriad / Address

Rhif Ffôn(au) / Phone(s)

Enw / Name

Cyfeiriad / Address

Rhif Ffôn(au) / Phone(s)

Enw / Name

Cyfeiriad / Address

Rhif Ffôn(au) / Phone(s)

Enw / Name

Cyfeiriad / Address

Rhif Ffôn(au) / Phone(s)

CAS-GWENT, BAD FFERI Y 'SEVERN KING' YN BEACHLEY TUA c1950   C77097
Chepstow, The 'Severn King' Ferry Boat at Beachley c1950   C77097

Enw / Name

Cyfeiriad / Address

Rhif Ffôn(au) / Phone(s)

Enw / Name

Cyfeiriad / Address

Rhif Ffôn(au) / Phone(s)

Enw / Name

Cyfeiriad / Address

Rhif Ffôn(au) / Phone(s)

Enw / Name

Cyfeiriad / Address

Rhif Ffôn(au) / Phone(s)

Enw / Name

Cyfeiriad / Address

Rhif Ffôn(au) / Phone(s)

Enw / Name

Cyfeiriad / Address

Rhif Ffôn(au) / Phone(s)

SEVERN KING

B

Enw / Name

Cyfeiriad / Address

Rhif Ffôn(au) / Phone(s)

Enw / Name

Cyfeiriad / Address

Rhif Ffôn(au) / Phone(s)

Enw / Name

Cyfeiriad / Address

Rhif Ffôn(au) / Phone(s)

Enw / Name

Cyfeiriad / Address

Rhif Ffôn(au) / Phone(s)

Enw / Name

Cyfeiriad / Address

Rhif Ffôn(au) / Phone(s)

Enw / Name

Cyfeiriad / Address

Rhif Ffôn(au) / Phone(s)

Enw / Name

Cyfeiriad / Address

Rhif Ffôn(au) / Phone(s)

RHYDAMAN, STRYD Y CEI 1936 87811
Ammanford, Quay Street 1936 87811

B

Enw / Name

Cyfeiriad / Address

Rhif Ffôn(au) / Phone(s)

Enw / Name

Cyfeiriad / Address

Rhif Ffôn(au) / Phone(s)

Enw / Name

Cyfeiriad / Address

Rhif Ffôn(au) / Phone(s)

Enw / Name

Cyfeiriad / Address

Rhif Ffôn(au) / Phone(s)

Enw / Name

Cyfeiriad / Address

Rhif Ffôn(au) / Phone(s)

Enw / Name

Cyfeiriad / Address

Rhif Ffôn(au) / Phone(s)

Enw / Name

Cyfeiriad / Address

Rhif Ffôn(au) / Phone(s)

ABERGWAUN 1890   27927
Fishguard 1890   27927

Enw / Name

Cyfeiriad / Address

Rhif Ffôn(au) / Phone(s)

Enw / Name

Cyfeiriad / Address

Rhif Ffôn(au) / Phone(s)

Enw / Name

Cyfeiriad / Address

Rhif Ffôn(au) / Phone(s)

Enw / Name

Cyfeiriad / Address

Rhif Ffôn(au) / Phone(s)

Enw / Name

Cyfeiriad / Address

Rhif Ffôn(au) / Phone(s)

Enw / Name

Cyfeiriad / Address

Rhif Ffôn(au) / Phone(s)

Enw / Name

Cyfeiriad / Address

Rhif Ffôn(au) / Phone(s)

Enw / Name

Cyfeiriad / Address

Rhif Ffôn(au) / Phone(s)

WRECSAM, Y STRYD FAWR 1895 36282
Wrexham, High Street 1895 36282

Saif Wrecsam ar isafon o'r Afon Dyfrdwy. Mae'n pentref yn llawn hanes- roedd
sylfaenydd Prifysgol Iâl (Elihu Yale) yn hanu o ardal Wrecsam ac wedi ei gladdu
yn Eglwys Sant Gile. Datblygodd y dref yn gyflym yn y 19 ganrif; diwydiannau
pwysig oedd bragu – gweler cart y bragwr ar y chwith – gwneuthuriad priddfeini
a theils.

*Wrexham stands on a tributary of the river Dee. It is a town full of history - the
founder of Yale University in the US (Elihu Yale), came from the Wrexham area,
and is buried at St Giles' church. The town developed fast during the 19th century;
important industries were brewing – see the brewer's cart on the left - and brick
and tile manufacture.*

C

Enw / Name

Cyfeiriad / Address

Rhif Ffôn(au) / Phone(s)

Enw / Name

Cyfeiriad / Address

Rhif Ffôn(au) / Phone(s)

Enw / Name

Cyfeiriad / Address

Rhif Ffôn(au) / Phone(s)

Enw / Name

Cyfeiriad / Address

Rhif Ffôn(au) / Phone(s)

Enw / Name

Cyfeiriad / Address

Rhif Ffôn(au) / Phone(s)

Enw / Name

Cyfeiriad / Address

Rhif Ffôn(au) / Phone(s)

Enw / Name

Cyfeiriad / Address

Rhif Ffôn(au) / Phone(s)

Enw / Name

Cyfeiriad / Address

Rhif Ffôn(au) / Phone(s)

SAIN FFAGAN, CERRIG SARNAU 1906 56486
St Fagans, Stepping Stones 1906 56486

Enw / Name

Cyfeiriad / Address

Rhif Ffôn(au) / Phone(s)

Enw / Name

Cyfeiriad / Address

Rhif Ffôn(au) / Phone(s)

Enw / Name

Cyfeiriad / Address

Rhif Ffôn(au) / Phone(s)

Enw / Name

Cyfeiriad / Address

Rhif Ffôn(au) / Phone(s)

Enw / Name

Cyfeiriad / Address

Rhif Ffôn(au) / Phone(s)

Enw / Name

Cyfeiriad / Address

Rhif Ffôn(au) / Phone(s)

C

Enw / Name

Cyfeiriad / Address

Rhif Ffôn(au) / Phone(s)

Enw / Name

Cyfeiriad / Address

Rhif Ffôn(au) / Phone(s)

Enw / Name

Cyfeiriad / Address

Rhif Ffôn(au) / Phone(s)

Enw / Name

Cyfeiriad / Address

Rhif Ffôn(au) / Phone(s)

Enw / Name

Cyfeiriad / Address

Rhif Ffôn(au) / Phone(s)

Enw / Name

Cyfeiriad / Address

Rhif Ffôn(au) / Phone(s)

ABERCRÂF, OGOFEYDD DAN YR OGOF 1937 88017
Abercraf, Dan-Yr-Ogof Caves 1937 88017

Enw / Name

Cyfeiriad / Address

Rhif Ffôn(au) / Phone(s)

Enw / Name

Cyfeiriad / Address

Rhif Ffôn(au) / Phone(s)

Enw / Name

Cyfeiriad / Address

Rhif Ffôn(au) / Phone(s)

Enw / Name

Cyfeiriad / Address

Rhif Ffôn(au) / Phone(s)

Enw / Name

Cyfeiriad / Address

Rhif Ffôn(au) / Phone(s)

Enw / Name

Cyfeiriad / Address

Rhif Ffôn(au) / Phone(s)

DOLGELLAU, STRYD SMITHFIELD UCHAF 1908 60243
Dolgellau, Upper Smithfield Street 1908 60243

Enw / Name

Cyfeiriad / Address

Rhif Ffôn(au) / Phone(s)

Enw / Name

Cyfeiriad / Address

Rhif Ffôn(au) / Phone(s)

Enw / Name

Cyfeiriad / Address

Rhif Ffôn(au) / Phone(s)

Enw / Name

Cyfeiriad / Address

Rhif Ffôn(au) / Phone(s)

Enw / Name

Cyfeiriad / Address

Rhif Ffôn(au) / Phone(s)

Enw / Name

Cyfeiriad / Address

Rhif Ffôn(au) / Phone(s)

Enw / Name

Cyfeiriad / Address

Rhif Ffôn(au) / Phone(s)

Enw / Name

Cyfeiriad / Address

Rhif Ffôn(au) / Phone(s)

ABERTAWE, Y STRYD FAWR 1893 32720
Swansea, High Street 1893 32720

Mae traddodiad morwrol Abertawe wastad wedi bod yn hanfodol i'r dref a bu'r amrywiol estyniadau i'r porthladd yn gyrru ei ddatblygiad economaidd. Yma gwelwn dramiau awyr agored y gwasanaeth o'r Stryd Fawr i Dreforys a Chwmbwrla. Tynnwyd gan geffylau hyd at droad y ganrif, a darparwyd llawer o dail ar gyfer garddwyr Abertawe.

Swansea's maritime tradition has always been vital to the town, and the various port extensions drove its economic development. Here we see the open-top trams of the High Street to Morriston and Cwmbwrla service. Horse-drawn until the turn of the century, the trams provided much manure for Swansea gardeners.

D

Enw / Name

Cyfeiriad / Address

Rhif Ffôn(au) / Phone(s)

Enw / Name

Cyfeiriad / Address

Rhif Ffôn(au) / Phone(s)

Enw / Name

Cyfeiriad / Address

Rhif Ffôn(au) / Phone(s)

Enw / Name

Cyfeiriad / Address

Rhif Ffôn(au) / Phone(s)

Enw / Name

Cyfeiriad / Address

Rhif Ffôn(au) / Phone(s)

Enw / Name

Cyfeiriad / Address

Rhif Ffôn(au) / Phone(s)

Y FENNI, STRYD Y GROES 1893   32596
Abergavenny, Cross Street 1893   32596

Enw / Name

Cyfeiriad / Address

Rhif Ffôn(au) / Phone(s)

Enw / Name

Cyfeiriad / Address

Rhif Ffôn(au) / Phone(s)

Enw / Name

Cyfeiriad / Address

Rhif Ffôn(au) / Phone(s)

Enw / Name

Cyfeiriad / Address

Rhif Ffôn(au) / Phone(s)

Enw / Name

Cyfeiriad / Address

Rhif Ffôn(au) / Phone(s)

Enw / Name

Cyfeiriad / Address

Rhif Ffôn(au) / Phone(s)

Enw / Name

Cyfeiriad / Address

Rhif Ffôn(au) / Phone(s)

DINBYCH Y PYSGOD, PYSGOD WRAGEDD 1890 28091
Tenby, Fish Wives 1890 28091

Enw / Name

Cyfeiriad / Address

Rhif Ffôn(au) / Phone(s)

Enw / Name

Cyfeiriad / Address

Rhif Ffôn(au) / Phone(s)

Enw / Name

Cyfeiriad / Address

Rhif Ffôn(au) / Phone(s)

Enw / Name

Cyfeiriad / Address

Rhif Ffôn(au) / Phone(s)

Enw / Name

Cyfeiriad / Address

Rhif Ffôn(au) / Phone(s)

Enw / Name

Cyfeiriad / Address

Rhif Ffôn(au) / Phone(s)

Enw / Name

Cyfeiriad / Address

Rhif Ffôn(au) / Phone(s)

Enw / Name

Cyfeiriad / Address

Rhif Ffôn(au) / Phone(s)

PONT GROG MENAI 1891 29485
The Menai Suspension Bridge 1891 29485

Mae'r bont grog goeth, a adeiladwyd ar draws Culfor Menai gan Thomas
Telford fel rhan o'i Heol Gaergybi, wedi rhoi ei enw i'r pentref bach ar ochr
ogleddol o'r culfor, rhwng Ynys Môn, a thir mawr Gogledd Cymru.

*This elegant suspension bridge, built over the Menai Strait by Thomas Telford
as part of his Holyhead Road, gave its name to the little town on the northern
side of the narrow strait, between the island of Anglesey and mainland North
Wales.*

E

Enw / Name

Cyfeiriad / Address

Rhif Ffôn(au) / Phone(s)

Enw / Name

Cyfeiriad / Address

Rhif Ffôn(au) / Phone(s)

Enw / Name

Cyfeiriad / Address

Rhif Ffôn(au) / Phone(s)

Enw / Name

Cyfeiriad / Address

Rhif Ffôn(au) / Phone(s)

Enw / Name

Cyfeiriad / Address

Rhif Ffôn(au) / Phone(s)

Enw / Name

Cyfeiriad / Address

Rhif Ffôn(au) / Phone(s)

HEOL ABERGELE 1908 60765
Old Colwyn, Abergele Road 1908 60765

Enw / Name

Cyfeiriad / Address

Rhif Ffôn(au) / Phone(s)

Enw / Name

Cyfeiriad / Address

Rhif Ffôn(au) / Phone(s)

Enw / Name

Cyfeiriad / Address

Rhif Ffôn(au) / Phone(s)

Enw / Name

Cyfeiriad / Address

Rhif Ffôn(au) / Phone(s)

Enw / Name

Cyfeiriad / Address

Rhif Ffôn(au) / Phone(s)

Enw / Name

Cyfeiriad / Address

Rhif Ffôn(au) / Phone(s)

Enw / Name

Cyfeiriad / Address

Rhif Ffôn(au) / Phone(s)

CASNEWYDD, Y BONT DRAWSGLUDO 1906 54935A
Newport, Transporter Bridge 1906 54935A

E

Enw / Name

Cyfeiriad / Address

Rhif Ffôn(au) / Phone(s)

Enw / Name

Cyfeiriad / Address

Rhif Ffôn(au) / Phone(s)

Enw / Name

Cyfeiriad / Address

Rhif Ffôn(au) / Phone(s)

Enw / Name

Cyfeiriad / Address

Rhif Ffôn(au) / Phone(s)

Enw / Name

Cyfeiriad / Address

Rhif Ffôn(au) / Phone(s)

Enw / Name

Cyfeiriad / Address

Rhif Ffôn(au) / Phone(s)

Enw / Name

Cyfeiriad / Address

Rhif Ffôn(au) / Phone(s)

Enw / Name

Cyfeiriad / Address

Rhif Ffôn(au) / Phone(s)

CAERNARFON, Y CASTELL 1891 29499
Caernarvon, Castle 1891 29499

Heddiw fe'i adnabyddir am ei gastell enfawr (wedi ei ddechrau ym 1250), un
o gadwyni amddiffynnol Edward 1, wedi eu hadeiladu i ddarostwng y Cymry,
mae'r dref yma ar lannau Culfor Menai ar aber yr Afon Seiont yn un o bybyr
gadarnleoedd yr iaith Gymraeg.

*Known today for its massive castle (begun in 1285), one of Edward I's chain
of fortresses built to subdue the Welsh, this town on the shore of the Menai
Strait at the mouth of the River Seiont is now staunchly Welsh-speaking.*

F

F

Enw / Name

Cyfeiriad / Address

Rhif Ffôn(au) / Phone(s)

Enw / Name

Cyfeiriad / Address

Rhif Ffôn(au) / Phone(s)

Enw / Name

Cyfeiriad / Address

Rhif Ffôn(au) / Phone(s)

Enw / Name

Cyfeiriad / Address

Rhif Ffôn(au) / Phone(s)

Enw / Name

Cyfeiriad / Address

Rhif Ffôn(au) / Phone(s)

Enw / Name

Cyfeiriad / Address

Rhif Ffôn(au) / Phone(s)

LLANDUDNO, Y RHODFA 1908 60753
Llandudno, Parade 1908 60753

F

Enw / Name

Cyfeiriad / Address

Rhif Ffôn(au) / Phone(s)

Enw / Name

Cyfeiriad / Address

Rhif Ffôn(au) / Phone(s)

Enw / Name

Cyfeiriad / Address

Rhif Ffôn(au) / Phone(s)

Enw / Name

Cyfeiriad / Address

Rhif Ffôn(au) / Phone(s)

Enw / Name

Cyfeiriad / Address

Rhif Ffôn(au) / Phone(s)

Enw / Name

Cyfeiriad / Address

Rhif Ffôn(au) / Phone(s)

Enw / Name

Cyfeiriad / Address

Rhif Ffôn(au) / Phone(s)

ABERDYFI, Y TU BLAEN 1895 36507
Aberdovey, The Front 1895 36507

F

Enw / Name

Cyfeiriad / Address

Rhif Ffôn(au) / Phone(s)

Enw / Name

Cyfeiriad / Address

Rhif Ffôn(au) / Phone(s)

Enw / Name

Cyfeiriad / Address

Rhif Ffôn(au) / Phone(s)

Enw / Name

Cyfeiriad / Address

Rhif Ffôn(au) / Phone(s)

Enw / Name

Cyfeiriad / Address

Rhif Ffôn(au) / Phone(s)

Enw / Name

Cyfeiriad / Address

Rhif Ffôn(au) / Phone(s)

Enw / Name

Cyfeiriad / Address

Rhif Ffôn(au) / Phone(s)

Enw / Name

Cyfeiriad / Address

Rhif Ffôn(au) / Phone(s)

ABERYSTWYTH, Y CASTELL 1903 50810
Aberystwyth, Castle 1903 50810

Roedd Castell Aberystwyth yn un o linell o amddiffynfeydd arfordirol a
adeiladwyd gan Edward I er mwyn gosod ei ewyllys ar y Cymry. Mae ei
weddillion bratiog wedi ei trawsnewid i erddi cyhoeddus gan y cyngor lleol a
ddaeth yn boblogaidd gan bawb. Yma, ar brynhawniau heulog mae'r tyrfaoedd
yn ymgynnull i weld campau cwmnïau Pierrot.

*Aberystwyth's castle was one of a line of coastal fortresses built by Edward I
to impose his will upon the Welsh. Its ragged remains were transformed into
public gardens by the local council and became a popular place for all. Here
on a sunny afternoon the crowd gathers to enjoy the antics of a Pierrot troupe.*

Enw / Name

Cyfeiriad / Address

Rhif Ffôn(au) / Phone(s)

Enw / Name

Cyfeiriad / Address

Rhif Ffôn(au) / Phone(s)

Enw / Name

Cyfeiriad / Address

Rhif Ffôn(au) / Phone(s)

Enw / Name

Cyfeiriad / Address

Rhif Ffôn(au) / Phone(s)

Enw / Name

Cyfeiriad / Address

Rhif Ffôn(au) / Phone(s)

Enw / Name

Cyfeiriad / Address

Rhif Ffôn(au) / Phone(s)

TYNDYRN, Y PENTREF 1925 76881
Tintern, The Village 1925 76881

Enw / Name

Cyfeiriad / Address

Rhif Ffôn(au) / Phone(s)

Enw / Name

Cyfeiriad / Address

Rhif Ffôn(au) / Phone(s)

Enw / Name

Cyfeiriad / Address

Rhif Ffôn(au) / Phone(s)

Enw / Name

Cyfeiriad / Address

Rhif Ffôn(au) / Phone(s)

Enw / Name

Cyfeiriad / Address

Rhif Ffôn(au) / Phone(s)

Enw / Name

Cyfeiriad / Address

Rhif Ffôn(au) / Phone(s)

Enw / Name

Cyfeiriad / Address

Rhif Ffôn(au) / Phone(s)

TYWYN, RHEILFFORDD TAL Y LLYN c1960   T181188
Towyn, Tal-y-Llyn Railway c1960   T181188

Enw / Name

Cyfeiriad / Address

Rhif Ffôn(au) / Phone(s)

Enw / Name

Cyfeiriad / Address

Rhif Ffôn(au) / Phone(s)

Enw / Name

Cyfeiriad / Address

Rhif Ffôn(au) / Phone(s)

Enw / Name

Cyfeiriad / Address

Rhif Ffôn(au) / Phone(s)

Enw / Name

Cyfeiriad / Address

Rhif Ffôn(au) / Phone(s)

Enw / Name

Cyfeiriad / Address

Rhif Ffôn(au) / Phone(s)

Enw / Name

Cyfeiriad / Address

Rhif Ffôn(au) / Phone(s)

Enw / Name

Cyfeiriad / Address

Rhif Ffôn(au) / Phone(s)

BANGOR, Y STRYD FAWR 1908 60732
Bangor, High Street 1908 60732

Mae'r stryd fawr ym Mangor yn rhedeg rhwng yr orsaf a'r porthladd ac
heddiw mae'n rhannol ar gyfer cerddwyr yn unig. Fe'i dangosir yma yn dyrfa
o siopwyr a char cynnar. Ar ôl adeiladu'r pontydd dros y Culfor ac agoriad
y rheilffordd, tyfodd Bangor o fod yn dref 19 ganrif oddim ond 93 o dai i fod
yn gyrchfan gwyliau ffyniannus.

*Bangor's main street runs between the station and the harbour, and today is
partly pedestrianised. It is shown here crowded with shoppers and an early
car. After the construction of the bridges over the Straits and the opening of
the railway, Bangor grew from a 19th-century town of only 93 houses into a
thriving holiday resort.*

H

Enw / Name

Cyfeiriad / Address

Rhif Ffôn(au) / Phone(s)

Enw / Name

Cyfeiriad / Address

Rhif Ffôn(au) / Phone(s)

Enw / Name

Cyfeiriad / Address

Rhif Ffôn(au) / Phone(s)

Enw / Name

Cyfeiriad / Address

Rhif Ffôn(au) / Phone(s)

Enw / Name

Cyfeiriad / Address

Rhif Ffôn(au) / Phone(s)

Enw / Name

Cyfeiriad / Address

Rhif Ffôn(au) / Phone(s)

ABERHONDDU, STRYD Y LLONG 1910 62657
Brecon, Ship Street 1910 62657

Enw / Name

Cyfeiriad / Address

Rhif Ffôn(au) / Phone(s)

Enw / Name

Cyfeiriad / Address

Rhif Ffôn(au) / Phone(s)

Enw / Name

Cyfeiriad / Address

Rhif Ffôn(au) / Phone(s)

Enw / Name

Cyfeiriad / Address

Rhif Ffôn(au) / Phone(s)

Enw / Name

Cyfeiriad / Address

Rhif Ffôn(au) / Phone(s)

Enw / Name

Cyfeiriad / Address

Rhif Ffôn(au) / Phone(s)

Enw / Name

Cyfeiriad / Address

Rhif Ffôn(au) / Phone(s)

Y WAUN, Y DRAPHONT DDŴR TUA c1955 C366032
Chirk, The Aqueduct c1955 C366032

Enw / Name

Cyfeiriad / Address

Rhif Ffôn(au) / Phone(s)

Enw / Name

Cyfeiriad / Address

Rhif Ffôn(au) / Phone(s)

Enw / Name

Cyfeiriad / Address

Rhif Ffôn(au) / Phone(s)

Enw / Name

Cyfeiriad / Address

Rhif Ffôn(au) / Phone(s)

Enw / Name

Cyfeiriad / Address

Rhif Ffôn(au) / Phone(s)

Enw / Name

Cyfeiriad / Address

Rhif Ffôn(au) / Phone(s)

Enw / Name

Cyfeiriad / Address

Rhif Ffôn(au) / Phone(s)

Enw / Name

Cyfeiriad / Address

Rhif Ffôn(au) / Phone(s)

BAE COLWYN, PAFILIWN Y PIER 1900   46268
Colwyn Bay, The Pier Pavilion 1900   46268

Mae tyrfaoedd yn mynd am dro ar hyd y pier, wrth ochr y Pafiliwn gwreiddiol,
lle mae'r arweinydd poblogaidd Ffrengig a'i gerddorfa mawreddog yn chwarae.
Difethwyd y Pafiliwn, a seddau ynddo i 2,500, gan dân, fel ddigwyddodd i'w
olynydd. Dechreuwyd adnewyddu'r pier ym 1996. Adlewyrchwyd coethder y pier
yn strydoedd llydan y dref, a adeiladwyd i debygu rhodfeydd braf.

*Crowds stroll along the pier, beside the original Pavilion, where the popular
French conductor Jules Rivieres and his grand orchestra are playing. The
pavilion, which seated 2,500 people, was destroyed by fire, as was its successor.
Restoration of the pier began in 1996. The elegance of the pier was reflected in
the broad streets of the town, which were built to resemble fine boulevards.*

I J

Enw / Name

Cyfeiriad / Address

Rhif Ffôn(au) / Phone(s)

Enw / Name

Cyfeiriad / Address

Rhif Ffôn(au) / Phone(s)

Enw / Name

Cyfeiriad / Address

Rhif Ffôn(au) / Phone(s)

Enw / Name

Cyfeiriad / Address

Rhif Ffôn(au) / Phone(s)

Enw / Name

Cyfeiriad / Address

Rhif Ffôn(au) / Phone(s)

Enw / Name

Cyfeiriad / Address

Rhif Ffôn(au) / Phone(s)

DINBYCH, Y FARCHNAD 1888 20848
Denbigh, Market Place 1888 20848

Enw / Name

Cyfeiriad / Address

Rhif Ffôn(au) / Phone(s)

Enw / Name

Cyfeiriad / Address

Rhif Ffôn(au) / Phone(s)

Enw / Name

Cyfeiriad / Address

Rhif Ffôn(au) / Phone(s)

Enw / Name

Cyfeiriad / Address

Rhif Ffôn(au) / Phone(s)

Enw / Name

Cyfeiriad / Address

Rhif Ffôn(au) / Phone(s)

Enw / Name

Cyfeiriad / Address

Rhif Ffôn(au) / Phone(s)

YNYS BŶR, YR ABATY c1960 C373047
Caldey Island, The Abbey c1960 C373047

IJ

Enw / Name

Cyfeiriad / Address

Rhif Ffôn(au) / Phone(s)

Enw / Name

Cyfeiriad / Address

Rhif Ffôn(au) / Phone(s)

Enw / Name

Cyfeiriad / Address

Rhif Ffôn(au) / Phone(s)

Enw / Name

Cyfeiriad / Address

Rhif Ffôn(au) / Phone(s)

Enw / Name

Cyfeiriad / Address

Rhif Ffôn(au) / Phone(s)

Enw / Name

Cyfeiriad / Address

Rhif Ffôn(au) / Phone(s)

Enw / Name

Cyfeiriad / Address

Rhif Ffôn(au) / Phone(s)

Enw / Name

Cyfeiriad / Address

Rhif Ffôn(au) / Phone(s)

CAERDYDD, STRYD Y FRENHINES 1902 48997
Cardiff, Queen Street 1902 48997

Mae'r stryd yn cynnwys myrddiynau o arddull a maint pensaernïaeth Fictoraidd.
Mae adeiladau tair a phedair llawr yn cystadlu am safle, yn gwerthu pob math o
nwyddau a gwasanaethau. Mae Cyfalaf a Llafur ar gyfer dillad a Bwyty Fictoria
ar yr un ochr, gan fod adeilad Mr Morgans ar y chwith yn ymddangos yn
rhywbeth o wrth-ddweud – mae'n cynnig 'Deintyddiaeth Ddi-boen'.

*This street is composed of myriad Victorian architectural styles and sizes.
Three- and four-storey buildings jostle for position, selling all kinds of goods
and services. Capital and Labour for clothes and the Victoria Restaurant are
on one side, whereas Mr Morgan's premises on the left seem something of a
contradiction – he is offering 'Painless Dentistry'.*

K

Enw / Name

Cyfeiriad / Address

Rhif Ffôn(au) / Phone(s)

Enw / Name

Cyfeiriad / Address

Rhif Ffôn(au) / Phone(s)

Enw / Name

Cyfeiriad / Address

Rhif Ffôn(au) / Phone(s)

Enw / Name

Cyfeiriad / Address

Rhif Ffôn(au) / Phone(s)

Enw / Name

Cyfeiriad / Address

Rhif Ffôn(au) / Phone(s)

Enw / Name

Cyfeiriad / Address

Rhif Ffôn(au) / Phone(s)

TAL Y LLYN, Y LLYN A'R GWESTY 1885 9379
Tal-y-Llyn, The Lake And Hotel 1885 9379

Enw / Name

Cyfeiriad / Address

Rhif Ffôn(au) / Phone(s)

Enw / Name

Cyfeiriad / Address

Rhif Ffôn(au) / Phone(s)

Enw / Name

Cyfeiriad / Address

Rhif Ffôn(au) / Phone(s)

Enw / Name

Cyfeiriad / Address

Rhif Ffôn(au) / Phone(s)

Enw / Name

Cyfeiriad / Address

Rhif Ffôn(au) / Phone(s)

Enw / Name

Cyfeiriad / Address

Rhif Ffôn(au) / Phone(s)

HWLFFORDD, Y STRYD FAWR c1955 H41020
Haverfordwest, High Street c1955 H41020

K

Enw / Name

Cyfeiriad / Address

Rhif Ffôn(au) / Phone(s)

Enw / Name

Cyfeiriad / Address

Rhif Ffôn(au) / Phone(s)

Enw / Name

Cyfeiriad / Address

Rhif Ffôn(au) / Phone(s)

Enw / Name

Cyfeiriad / Address

Rhif Ffôn(au) / Phone(s)

Enw / Name

Cyfeiriad / Address

Rhif Ffôn(au) / Phone(s)

Enw / Name

Cyfeiriad / Address

Rhif Ffôn(au) / Phone(s)

Enw / Name

Cyfeiriad / Address

Rhif Ffôn(au) / Phone(s)

Enw / Name

Cyfeiriad / Address

Rhif Ffôn(au) / Phone(s)

LLANELWY, PONT ELWY 1890 23293
St Asaph, Elwy Bridge 1890 23293

Saif y ddinas hon (sydd â'r gadeirlan leiaf ym Mhrydain) uwchben cydlifiad yr Afon Clwyd a'i isafon Elwy. Enwyd Llanelwy ar ôl ei hail esgob a sylfaenwyd y dref bresennol yn amser y Sacsoniaid. Mae'r olygfa ar draws y bont o'r 18 ganrif yn edrych heibio'r glwyd i Blasty'r Esgob sy'n arwain lan at y gadeirlan. Mae'r olygfa heb newid hyd heddiw.

This city (with the smallest cathedral in Britain) stands above the confluence of the River Clwyd and its tributary the Elwy. St Asaph was named after its second bishop, and the present town was founded in Saxon times. This view across the 18th-century bridge looks past the gate to the Bishop's palace and up to the cathedral. This scene is virtually unchanged today.

L

Enw / Name

Cyfeiriad / Address

Rhif Ffôn(au) / Phone(s)

Enw / Name

Cyfeiriad / Address

Rhif Ffôn(au) / Phone(s)

Enw / Name

Cyfeiriad / Address

Rhif Ffôn(au) / Phone(s)

Enw / Name

Cyfeiriad / Address

Rhif Ffôn(au) / Phone(s)

Enw / Name

Cyfeiriad / Address

Rhif Ffôn(au) / Phone(s)

Enw / Name

Cyfeiriad / Address

Rhif Ffôn(au) / Phone(s)

Enw / Name

Cyfeiriad / Address

Rhif Ffôn(au) / Phone(s)

Enw / Name

Cyfeiriad / Address

Rhif Ffôn(au) / Phone(s)

RHODFA, PENARTH 1893 32688
Penarth, Promenade 1893 32688

L

Enw / Name

Cyfeiriad / Address

Rhif Ffôn(au) / Phone(s)

Enw / Name

Cyfeiriad / Address

Rhif Ffôn(au) / Phone(s)

Enw / Name

Cyfeiriad / Address

Rhif Ffôn(au) / Phone(s)

Enw / Name

Cyfeiriad / Address

Rhif Ffôn(au) / Phone(s)

Enw / Name

Cyfeiriad / Address

Rhif Ffôn(au) / Phone(s)

Enw / Name

Cyfeiriad / Address

Rhif Ffôn(au) / Phone(s)

L

Enw / Name

Cyfeiriad / Address

Rhif Ffôn(au) / Phone(s)

Enw / Name

Cyfeiriad / Address

Rhif Ffôn(au) / Phone(s)

Enw / Name

Cyfeiriad / Address

Rhif Ffôn(au) / Phone(s)

Enw / Name

Cyfeiriad / Address

Rhif Ffôn(au) / Phone(s)

Enw / Name

Cyfeiriad / Address

Rhif Ffôn(au) / Phone(s)

Enw / Name

Cyfeiriad / Address

Rhif Ffôn(au) / Phone(s)

FFYNHONNAU LLANDRINDOD, CILGANT YR ORSAF c1900   L145301
Llandrindod Wells, Station Crescent c1900   L145301

L

Enw / Name

Cyfeiriad / Address

Rhif Ffôn(au) / Phone(s)

Enw / Name

Cyfeiriad / Address

Rhif Ffôn(au) / Phone(s)

Enw / Name

Cyfeiriad / Address

Rhif Ffôn(au) / Phone(s)

Enw / Name

Cyfeiriad / Address

Rhif Ffôn(au) / Phone(s)

Enw / Name

Cyfeiriad / Address

Rhif Ffôn(au) / Phone(s)

Enw / Name

Cyfeiriad / Address

Rhif Ffôn(au) / Phone(s)

Enw / Name

Cyfeiriad / Address

Rhif Ffôn(au) / Phone(s)

TŶ DEWI, Y GADEIRLAN A PHALAS YR ESGOB c1960 S14123
St David's, Cathedral and Bishop's Palace c1960 S14123

L

Enw / Name

Cyfeiriad / Address

Rhif Ffôn(au) / Phone(s)

Enw / Name

Cyfeiriad / Address

Rhif Ffôn(au) / Phone(s)

Enw / Name

Cyfeiriad / Address

Rhif Ffôn(au) / Phone(s)

Enw / Name

Cyfeiriad / Address

Rhif Ffôn(au) / Phone(s)

Enw / Name

Cyfeiriad / Address

Rhif Ffôn(au) / Phone(s)

Enw / Name

Cyfeiriad / Address

Rhif Ffôn(au) / Phone(s)

Enw / Name

Cyfeiriad / Address

Rhif Ffôn(au) / Phone(s)

Enw / Name

Cyfeiriad / Address

Rhif Ffôn(au) / Phone(s)

CASTELL-NEDD, YR ABATY 1893 32725A
Neath, Abbey 1893 32725A

Wedi ei osod ar lannau Camlas Tennant, sefydlwyd yr abaty ym 1130 gan y barwn Normanaidd Richard de Granville. Yn y 16 ganrif, disgrifiodd John Leland yr abaty fel 'y mwyaf teg yng Nghymru'. Ar ôl ei ddiddymiad ym 1539, fe'i droes newidiwyd yn rhannol fel plasty; ar ôl cyfnod fel ffatri toddi copr a chastio, mae nawr dan gadwraeth CADW.

Set on the banks of the Tennant Canal, the Abbey was founded in 1130 by the Norman baron Richard de Granville. In the 16th century, John Leland described the abbey as 'the fairest in all Wales'. After it was dissolved in 1539, the abbey was partly converted into a mansion; after a spell as a copper smelting and casting factory, it has now been preserved by CADW.

Enw / Name

Cyfeiriad / Address

Rhif Ffôn(au) / Phone(s)

Enw / Name

Cyfeiriad / Address

Rhif Ffôn(au) / Phone(s)

Enw / Name

Cyfeiriad / Address

Rhif Ffôn(au) / Phone(s)

Enw / Name

Cyfeiriad / Address

Rhif Ffôn(au) / Phone(s)

Enw / Name

Cyfeiriad / Address

Rhif Ffôn(au) / Phone(s)

Enw / Name

Cyfeiriad / Address

Rhif Ffôn(au) / Phone(s)

Enw / Name

Cyfeiriad / Address

Rhif Ffôn(au) / Phone(s)

Enw / Name

Cyfeiriad / Address

Rhif Ffôn(au) / Phone(s)

RHOS-GER-Y-MÔR, GLAN Y MÔR 1921 70794
Rhos-on-Sea, The Seafront 1921 70794

Enw / Name

Cyfeiriad / Address

Rhif Ffôn(au) / Phone(s)

Enw / Name

Cyfeiriad / Address

Rhif Ffôn(au) / Phone(s)

Enw / Name

Cyfeiriad / Address

Rhif Ffôn(au) / Phone(s)

Enw / Name

Cyfeiriad / Address

Rhif Ffôn(au) / Phone(s)

Enw / Name

Cyfeiriad / Address

Rhif Ffôn(au) / Phone(s)

Enw / Name

Cyfeiriad / Address

Rhif Ffôn(au) / Phone(s)

Enw / Name

Cyfeiriad / Address

Rhif Ffôn(au) / Phone(s)

Enw / Name

Cyfeiriad / Address

Rhif Ffôn(au) / Phone(s)

Enw / Name

Cyfeiriad / Address

Rhif Ffôn(au) / Phone(s)

Enw / Name

Cyfeiriad / Address

Rhif Ffôn(au) / Phone(s)

Enw / Name

Cyfeiriad / Address

Rhif Ffôn(au) / Phone(s)

Enw / Name

Cyfeiriad / Address

Rhif Ffôn(au) / Phone(s)

CAERNARFON, SGWÂR Y CASTELL c1965 C33082
Caernarvon, Castle Square c1965 C33082

Enw / Name

Cyfeiriad / Address

Rhif Ffôn(au) / Phone(s)

Enw / Name

Cyfeiriad / Address

Rhif Ffôn(au) / Phone(s)

Enw / Name

Cyfeiriad / Address

Rhif Ffôn(au) / Phone(s)

Enw / Name

Cyfeiriad / Address

Rhif Ffôn(au) / Phone(s)

Enw / Name

Cyfeiriad / Address

Rhif Ffôn(au) / Phone(s)

Enw / Name

Cyfeiriad / Address

Rhif Ffôn(au) / Phone(s)

Enw / Name

Cyfeiriad / Address

Rhif Ffôn(au) / Phone(s)

YSTRADGYNLAIS, MEINI'R ORSEDD c1965 Y40038
Ystradgynlais, The Gorsedd Stones c1965 Y40038

Enw / Name

Cyfeiriad / Address

Rhif Ffôn(au) / Phone(s)

Enw / Name

Cyfeiriad / Address

Rhif Ffôn(au) / Phone(s)

Enw / Name

Cyfeiriad / Address

Rhif Ffôn(au) / Phone(s)

Enw / Name

Cyfeiriad / Address

Rhif Ffôn(au) / Phone(s)

Enw / Name

Cyfeiriad / Address

Rhif Ffôn(au) / Phone(s)

Enw / Name

Cyfeiriad / Address

Rhif Ffôn(au) / Phone(s)

Enw / Name

Cyfeiriad / Address

Rhif Ffôn(au) / Phone(s)

Enw / Name

Cyfeiriad / Address

Rhif Ffôn(au) / Phone(s)

CASNEWYDD, Y STRYD FASNACHOL 1910   62511
Newport, Commercial Street 1910   62511

Dechreuodd Casnewydd ddatblygu fel tref yn y 13 ganrif, a lledaenu fel porth-
ladd yn ystod y Chwyldroad Diwydiannol. Yma gwelwn hysbysebu dwys gan
Wildings Cyfyngedig, Dilledyddion - mae ei siop adrannol yn para ar y safle ar
yr ochor gyferbyniol â'r Stryd Fasnachol. Newidiwyd y stryd i fod yn fan
cerdded hollol ym 1986.

*Newport began to grow as a town in the 13th century, and expanded as a port
during the Industrial Revolution. Here we see intense advertising from Wildings
Limited, Clothiers - their department store still has a place on the opposite side
of Commercial Street. The street was completely pedestrianised in 1986.*

Enw / Name

Cyfeiriad / Address

Rhif Ffôn(au) / Phone(s)

Enw / Name

Cyfeiriad / Address

Rhif Ffôn(au) / Phone(s)

Enw / Name

Cyfeiriad / Address

Rhif Ffôn(au) / Phone(s)

Enw / Name

Cyfeiriad / Address

Rhif Ffôn(au) / Phone(s)

Enw / Name

Cyfeiriad / Address

Rhif Ffôn(au) / Phone(s)

Enw / Name

Cyfeiriad / Address

Rhif Ffôn(au) / Phone(s)

ABERDAUGLEDDAU, Y RHATH c1960   M77042
Milford Haven, The Rath c1960   M77042

Enw / Name

Cyfeiriad / Address

Rhif Ffôn(au) / Phone(s)

Enw / Name

Cyfeiriad / Address

Rhif Ffôn(au) / Phone(s)

Enw / Name

Cyfeiriad / Address

Rhif Ffôn(au) / Phone(s)

Enw / Name

Cyfeiriad / Address

Rhif Ffôn(au) / Phone(s)

Enw / Name

Cyfeiriad / Address

Rhif Ffôn(au) / Phone(s)

Enw / Name

Cyfeiriad / Address

Rhif Ffôn(au) / Phone(s)

AMLWCH, SGWÂR DINORDEN, c1955 A274027
Amlwch, Dinorden Square c1955 A274027

Enw / Name

Cyfeiriad / Address

Rhif Ffôn(au) / Phone(s)

Enw / Name

Cyfeiriad / Address

Rhif Ffôn(au) / Phone(s)

Enw / Name

Cyfeiriad / Address

Rhif Ffôn(au) / Phone(s)

Enw / Name

Cyfeiriad / Address

Rhif Ffôn(au) / Phone(s)

Enw / Name

Cyfeiriad / Address

Rhif Ffôn(au) / Phone(s)

Enw / Name

Cyfeiriad / Address

Rhif Ffôn(au) / Phone(s)

Enw / Name

Cyfeiriad / Address

Rhif Ffôn(au) / Phone(s)

Enw / Name

Cyfeiriad / Address

Rhif Ffôn(au) / Phone(s)

PEN Y BONT AR OGWR, YR HEN BONT 1910 62532
Bridgend, The Old Bridge 1910 62532

Mae'n debyg i'r bont, tarddiad yr enw Pen y bont ar Ogwr, gael ei hadeiladu yn ystod gwrthryfel Owain Glyndŵr. Fe'i dymchwelwyd yn rhannol gan lif enfawr ar 21 Awst 1775. Ail osodwyd y ddau fwâu gan un fawr, sy'n esbonio pam nad yw'r bont yn gymesurol.

This bridge, from which Bridgend derives its name, was probably constructed after Owain Glyndŵr's uprising. It was partly demolished by a large flood on 21 August 1775. Two of the small arches were replaced with one large one, which explains why the bridge is not symmetrical.

Enw / Name

Cyfeiriad / Address

Rhif Ffôn(au) / Phone(s)

Enw / Name

Cyfeiriad / Address

Rhif Ffôn(au) / Phone(s)

Enw / Name

Cyfeiriad / Address

Rhif Ffôn(au) / Phone(s)

Enw / Name

Cyfeiriad / Address

Rhif Ffôn(au) / Phone(s)

Enw / Name

Cyfeiriad / Address

Rhif Ffôn(au) / Phone(s)

Enw / Name

Cyfeiriad / Address

Rhif Ffôn(au) / Phone(s)

DINBYCH Y PYSGOD, Y PORTHLADD 1890   28041
Tenby, The Harbour 1890   28041

Enw / Name

Cyfeiriad / Address

Rhif Ffôn(au) / Phone(s)

Enw / Name

Cyfeiriad / Address

Rhif Ffôn(au) / Phone(s)

Enw / Name

Cyfeiriad / Address

Rhif Ffôn(au) / Phone(s)

Enw / Name

Cyfeiriad / Address

Rhif Ffôn(au) / Phone(s)

Enw / Name

Cyfeiriad / Address

Rhif Ffôn(au) / Phone(s)

Enw / Name

Cyfeiriad / Address

Rhif Ffôn(au) / Phone(s)

BIWMARES, STRYD YR EGLWYS 1911 63301
Beaumaris, Church Street 1911 63301

Enw / Name

Enw / Name

Cyfeiriad / Address

Cyfeiriad / Address

Rhif Ffôn(au) / Phone(s)

Rhif Ffôn(au) / Phone(s)

Enw / Name

Enw / Name

Cyfeiriad / Address

Cyfeiriad / Address

Rhif Ffôn(au) / Phone(s)

Rhif Ffôn(au) / Phone(s)

Enw / Name

Enw / Name

Cyfeiriad / Address

Cyfeiriad / Address

Rhif Ffôn(au) / Phone(s)

Rhif Ffôn(au) / Phone(s)

Enw / Name

Enw / Name

Cyfeiriad / Address

Cyfeiriad / Address

Rhif Ffôn(au) / Phone(s)

Rhif Ffôn(au) / Phone(s)

MELIN DDŴR, GUMFRESTON 1890 28104
Gumfreston, Water Mill 1890 28104

Mae Melin ddŵr Gumfreston yn agos i Ddinbych y Pysgod. Adeilad o gerrig wedi ei doi â theils, mae i'w weld mewn cyflwr gwael. Mae'n debyg fod y y olwyn ddŵr wedi diflannu ond mae'r marc du ar y wal yn dangos ei lleoliad. Mae'n debyg bod y felin mewn anarfer ar adeg y llun yma.

Gumfreston Mill is near Tenby. A stone building with a tiled roof, it looks in poor condition. The waterwheel appears to have gone; the dark mark on the wall shows where it was located. The mill was probably disused at the time of this photograph.

P

P

P

Enw / Name

Cyfeiriad / Address

Rhif Ffôn(au) / Phone(s)

Enw / Name

Cyfeiriad / Address

Rhif Ffôn(au) / Phone(s)

Enw / Name

Cyfeiriad / Address

Rhif Ffôn(au) / Phone(s)

Enw / Name

Cyfeiriad / Address

Rhif Ffôn(au) / Phone(s)

Enw / Name

Cyfeiriad / Address

Rhif Ffôn(au) / Phone(s)

Enw / Name

Cyfeiriad / Address

Rhif Ffôn(au) / Phone(s)

Enw / Name

Cyfeiriad / Address

Rhif Ffôn(au) / Phone(s)

Enw / Name

Cyfeiriad / Address

Rhif Ffôn(au) / Phone(s)

PORTHCAWL, TRAETH CONEY 1938 88454
Porthcawl, Coney Beach 1938 88454

Enw / Name

Cyfeiriad / Address

Rhif Ffôn(au) / Phone(s)

Enw / Name

Cyfeiriad / Address

Rhif Ffôn(au) / Phone(s)

Enw / Name

Cyfeiriad / Address

Rhif Ffôn(au) / Phone(s)

Enw / Name

Cyfeiriad / Address

Rhif Ffôn(au) / Phone(s)

Enw / Name

Cyfeiriad / Address

Rhif Ffôn(au) / Phone(s)

Enw / Name

Cyfeiriad / Address

Rhif Ffôn(au) / Phone(s)

P

Enw / Name

Cyfeiriad / Address

Rhif Ffôn(au) / Phone(s)

Enw / Name

Cyfeiriad / Address

Rhif Ffôn(au) / Phone(s)

Enw / Name

Cyfeiriad / Address

Rhif Ffôn(au) / Phone(s)

Enw / Name

Cyfeiriad / Address

Rhif Ffôn(au) / Phone(s)

Enw / Name

Cyfeiriad / Address

Rhif Ffôn(au) / Phone(s)

Enw / Name

Cyfeiriad / Address

Rhif Ffôn(au) / Phone(s)

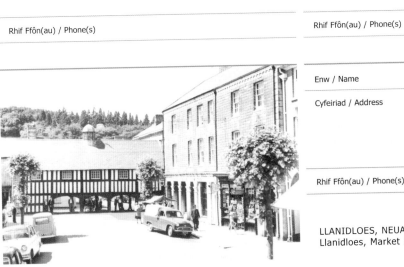

LLANIDLOES, NEUADD Y FARCHNAD c1960   L403055
Llanidloes, Market Hall c1960   L403055

Enw / Name

Cyfeiriad / Address

Rhif Ffôn(au) / Phone(s)

Enw / Name

Cyfeiriad / Address

Rhif Ffôn(au) / Phone(s)

Enw / Name

Cyfeiriad / Address

Rhif Ffôn(au) / Phone(s)

Enw / Name

Cyfeiriad / Address

Rhif Ffôn(au) / Phone(s)

Enw / Name

Cyfeiriad / Address

Rhif Ffôn(au) / Phone(s)

Enw / Name

Cyfeiriad / Address

Rhif Ffôn(au) / Phone(s)

Y BORTH, Y RHODFA A'R TRAETH 1899 44535
Borth, Parade and Beach 1899 44535

P

Enw / Name

Cyfeiriad / Address

Rhif Ffôn(au) / Phone(s)

Enw / Name

Cyfeiriad / Address

Rhif Ffôn(au) / Phone(s)

Enw / Name

Cyfeiriad / Address

Rhif Ffôn(au) / Phone(s)

Enw / Name

Cyfeiriad / Address

Rhif Ffôn(au) / Phone(s)

Enw / Name

Cyfeiriad / Address

Rhif Ffôn(au) / Phone(s)

Enw / Name

Cyfeiriad / Address

Rhif Ffôn(au) / Phone(s)

Enw / Name

Cyfeiriad / Address

Rhif Ffôn(au) / Phone(s)

Enw / Name

Cyfeiriad / Address

Rhif Ffôn(au) / Phone(s)

CAERGYBI, GOLEUDY SOUTH STACK 1892 30299
Holyhead, South Stack Lighthouse 1892 30299

Mae Caergybi yn fwyaf adnabyddus am borthladd fferi i Iwerddon, yn sefyll ar Ynys Sanctaidd, wedi ei gysylltu gan sarn i Ynys Môn. Mae'n ben y daith i heol fwyaf enwog Telford, nawr yr A5, yn dod o Lundain. Mae'r ynysig garegog wedi ei chysylltu â'r Ynys Sanctaidd gan bont troed ar waelod llwybr igam-ogam. Adeiladwyd y goleudy ym 1809.

Holyhead is best known as the ferry port for Ireland, and stands on Holy Island, linked by a causeway to the Isle of Anglesey. It is the destination of Telford's most famous road, now the A5, coming from London. The rocky islet is joined to Holy Island by a footbridge at the bottom of a zigzag path. The lighthouse was built in 1809.

Enw / Name

Cyfeiriad / Address

Rhif Ffôn(au) / Phone(s)

Enw / Name

Cyfeiriad / Address

Rhif Ffôn(au) / Phone(s)

Enw / Name

Cyfeiriad / Address

Rhif Ffôn(au) / Phone(s)

Enw / Name

Cyfeiriad / Address

Rhif Ffôn(au) / Phone(s)

Enw / Name

Cyfeiriad / Address

Rhif Ffôn(au) / Phone(s)

Enw / Name

Cyfeiriad / Address

Rhif Ffôn(au) / Phone(s)

CAS-GWENT, Y STRYD FAWR 1906   54507
Chepstow, High Street 1906   54507

Enw / Name

Cyfeiriad / Address

Rhif Ffôn(au) / Phone(s)

Enw / Name

Cyfeiriad / Address

Rhif Ffôn(au) / Phone(s)

Enw / Name

Cyfeiriad / Address

Rhif Ffôn(au) / Phone(s)

Enw / Name

Cyfeiriad / Address

Rhif Ffôn(au) / Phone(s)

Enw / Name

Cyfeiriad / Address

Rhif Ffôn(au) / Phone(s)

Enw / Name

Cyfeiriad / Address

Rhif Ffôn(au) / Phone(s)

PENMAENMAWR, Y PORTHLADD c1955 P28257
Penmaenmawr, The Harbour c1955 P28257

Enw / Name

Cyfeiriad / Address

Rhif Ffôn(au) / Phone(s)

Enw / Name

Cyfeiriad / Address

Rhif Ffôn(au) / Phone(s)

Enw / Name

Cyfeiriad / Address

Rhif Ffôn(au) / Phone(s)

Enw / Name

Cyfeiriad / Address

Rhif Ffôn(au) / Phone(s)

Enw / Name

Cyfeiriad / Address

Rhif Ffôn(au) / Phone(s)

Enw / Name

Cyfeiriad / Address

Rhif Ffôn(au) / Phone(s)

Enw / Name

Cyfeiriad / Address

Rhif Ffôn(au) / Phone(s)

Enw / Name

Cyfeiriad / Address

Rhif Ffôn(au) / Phone(s)

PENFRO, CANOL Y DREF 1936 87421
Pembroke, Town Centre 1936 87421

Yn wreiddiol roedd y castell yn adeilad llawer mwy gostyngedig na'r hyn a welwn Heddiw, ond hwn oedd yr unig un na syrthiodd pan fu'r Cymry yn marchogaeth yn erbyn y Normaniaid ym 1094. Yma gellir ei weld ar ddiwedd y stryd, heibio i Westy'r Llew a'r fynedfa bwaog i Glwb y Lleng Brydeinig.

The castle was originally a far humbler structure than that which we can see today, but was the only one in the area not to fall when the Welsh rode against the Normans in 1094. Here it can be seen at the end of the street, past the Lion Hotel and the arched entrance to the British Legion Club.

Enw / Name

Cyfeiriad / Address

Rhif Ffôn(au) / Phone(s)

Enw / Name

Cyfeiriad / Address

Rhif Ffôn(au) / Phone(s)

Enw / Name

Cyfeiriad / Address

Rhif Ffôn(au) / Phone(s)

Enw / Name

Cyfeiriad / Address

Rhif Ffôn(au) / Phone(s)

Enw / Name

Cyfeiriad / Address

Rhif Ffôn(au) / Phone(s)

Enw / Name

Cyfeiriad / Address

Rhif Ffôn(au) / Phone(s)

Enw / Name

Cyfeiriad / Address

Rhif Ffôn(au) / Phone(s)

Enw / Name

Cyfeiriad / Address

Rhif Ffôn(au) / Phone(s)

CASTELL CONWY 1898 42386
Conway Castle 1898 42386

R

Enw / Name

Cyfeiriad / Address

Rhif Ffôn(au) / Phone(s)

Enw / Name

Cyfeiriad / Address

Rhif Ffôn(au) / Phone(s)

Enw / Name

Cyfeiriad / Address

Rhif Ffôn(au) / Phone(s)

Enw / Name

Cyfeiriad / Address

Rhif Ffôn(au) / Phone(s)

Enw / Name

Cyfeiriad / Address

Rhif Ffôn(au) / Phone(s)

Enw / Name

Cyfeiriad / Address

Rhif Ffôn(au) / Phone(s)

R

Enw / Name

Cyfeiriad / Address

Rhif Ffôn(au) / Phone(s)

Enw / Name

Cyfeiriad / Address

Rhif Ffôn(au) / Phone(s)

Enw / Name

Cyfeiriad / Address

Rhif Ffôn(au) / Phone(s)

Enw / Name

Cyfeiriad / Address

Rhif Ffôn(au) / Phone(s)

Enw / Name

Cyfeiriad / Address

Rhif Ffôn(au) / Phone(s)

Enw / Name

Cyfeiriad / Address

Rhif Ffôn(au) / Phone(s)

Y BARRI, Y DOCIAU 1899   43451
Barry, The Docks 1899   43451

Enw / Name

Cyfeiriad / Address

Rhif Ffôn(au) / Phone(s)

Enw / Name

Cyfeiriad / Address

Rhif Ffôn(au) / Phone(s)

Enw / Name

Cyfeiriad / Address

Rhif Ffôn(au) / Phone(s)

Enw / Name

Cyfeiriad / Address

Rhif Ffôn(au) / Phone(s)

Enw / Name

Cyfeiriad / Address

Rhif Ffôn(au) / Phone(s)

Enw / Name

Cyfeiriad / Address

Rhif Ffôn(au) / Phone(s)

Enw / Name

Cyfeiriad / Address

Rhif Ffôn(au) / Phone(s)

BALA, Y STRYD FAWR 1896 37706
Bala, High Street 1896 37706

Enw / Name

Cyfeiriad / Address

Rhif Ffôn(au) / Phone(s)

Enw / Name

Cyfeiriad / Address

Rhif Ffôn(au) / Phone(s)

Enw / Name

Cyfeiriad / Address

Rhif Ffôn(au) / Phone(s)

Enw / Name

Cyfeiriad / Address

Rhif Ffôn(au) / Phone(s)

Enw / Name

Cyfeiriad / Address

Rhif Ffôn(au) / Phone(s)

Enw / Name

Cyfeiriad / Address

Rhif Ffôn(au) / Phone(s)

Enw / Name

Cyfeiriad / Address

Rhif Ffôn(au) / Phone(s)

Enw / Name

Cyfeiriad / Address

Rhif Ffôn(au) / Phone(s)

YR WYDDFA, RHEILFFORDD Y MYNYDD 1897 40062
Snowdon, Mountain Railway 1897 40062

Mae trên ager yn tynnu'r unig gerbyd lan y rhan olaf, yn agosáu at gopa'r Wyddfa. Mae'r rheilffordd yn dechrau yn agos i Westy Fictoria, 350 troedfedd uwchben lefel y môr ac mae pedair gorsaf canolog cyn cyrraedd y copa. Mae taith y ddwy ffordd yn cymryd tua dwy awr. Mae'r Wyddfa yn cynnwys pedair esgair serth a garw wedi eu gwahanu gan bantiau dwfn, wedi'u ffurfio allan o lechfaen a phorffyri.

A steam locomotive propels the standard single coach up the final leg, nearing the summit at Snowdon. The railway starts near the Victoria Hotel, 350ft above sea level, and there are four intermediate stations before the summit is reached. A round trip takes about two hours. Snowdon consists of four rugged and precipitous ridges separated by deep hollows, and is formed of slate and porphyry.

S

Enw / Name

Cyfeiriad / Address

Rhif Ffôn(au) / Phone(s)

Enw / Name

Cyfeiriad / Address

Rhif Ffôn(au) / Phone(s)

Enw / Name

Cyfeiriad / Address

Rhif Ffôn(au) / Phone(s)

Enw / Name

Cyfeiriad / Address

Rhif Ffôn(au) / Phone(s)

Enw / Name

Cyfeiriad / Address

Rhif Ffôn(au) / Phone(s)

Enw / Name

Cyfeiriad / Address

Rhif Ffôn(au) / Phone(s)

Enw / Name

Cyfeiriad / Address

Rhif Ffôn(au) / Phone(s)

Enw / Name

Cyfeiriad / Address

Rhif Ffôn(au) / Phone(s)

CAERFYRDDIN, SGWÂR NEUADD URDD 1925 77283
Carmarthen, Guildhall Square 1925 77283

S

Enw / Name

Cyfeiriad / Address

Rhif Ffôn(au) / Phone(s)

Enw / Name

Cyfeiriad / Address

Rhif Ffôn(au) / Phone(s)

Enw / Name

Cyfeiriad / Address

Rhif Ffôn(au) / Phone(s)

Enw / Name

Cyfeiriad / Address

Rhif Ffôn(au) / Phone(s)

Enw / Name

Cyfeiriad / Address

Rhif Ffôn(au) / Phone(s)

Enw / Name

Cyfeiriad / Address

Rhif Ffôn(au) / Phone(s)

S

Enw / Name

Cyfeiriad / Address

Rhif Ffôn(au) / Phone(s)

Enw / Name

Cyfeiriad / Address

Rhif Ffôn(au) / Phone(s)

Enw / Name

Cyfeiriad / Address

Rhif Ffôn(au) / Phone(s)

Enw / Name

Cyfeiriad / Address

Rhif Ffôn(au) / Phone(s)

Enw / Name

Cyfeiriad / Address

Rhif Ffôn(au) / Phone(s)

Enw / Name

Cyfeiriad / Address

Rhif Ffôn(au) / Phone(s)

ABERTEIFI, BADAU CWRWGL c1965   C209176
Cardigan, Coracle Boats c1965   C209176

S

Enw / Name

Cyfeiriad / Address

Rhif Ffôn(au) / Phone(s)

Enw / Name

Cyfeiriad / Address

Rhif Ffôn(au) / Phone(s)

Enw / Name

Cyfeiriad / Address

Rhif Ffôn(au) / Phone(s)

Enw / Name

Cyfeiriad / Address

Rhif Ffôn(au) / Phone(s)

Enw / Name

Cyfeiriad / Address

Rhif Ffôn(au) / Phone(s)

Enw / Name

Cyfeiriad / Address

Rhif Ffôn(au) / Phone(s)

PONTYPRIDD, STRYD TAFF 1899 43606
Pontypridd, Taff Street 1899 43606

S

Enw / Name

Cyfeiriad / Address

Rhif Ffôn(au) / Phone(s)

Enw / Name

Cyfeiriad / Address

Rhif Ffôn(au) / Phone(s)

Enw / Name

Cyfeiriad / Address

Rhif Ffôn(au) / Phone(s)

Enw / Name

Cyfeiriad / Address

Rhif Ffôn(au) / Phone(s)

Enw / Name

Cyfeiriad / Address

Rhif Ffôn(au) / Phone(s)

Enw / Name

Cyfeiriad / Address

Rhif Ffôn(au) / Phone(s)

Enw / Name

Cyfeiriad / Address

Rhif Ffôn(au) / Phone(s)

Enw / Name

Cyfeiriad / Address

Rhif Ffôn(au) / Phone(s)

Y MWMBWLS, Y PIER 1898 40925
Mumbles, The Pier 1898 40925

Yma gwelwn pen taith rheilffordd Abertawe i'r Mwmbwls. Roedd y pier yn
angenrheidiol ar gyfer hamdden ymwelwyr Edwardaidd i'r rhan yma o lan
y môr. Roedd y pier hefyd yn fan cychwyn i'r rhodlongau ager. Sylwch ar y
llongau hwylio yn y Culfor a't trên ager.

*Here we see the terminus of the Swansea to Mumbles railway. The pier was
essential for the recreation of Edwardian visitors to this part of the seaside.
The pier was also the embarkation point for paddle steamers. Note the sailing
ships in the Channel, and the steam train.*

T

T

Enw / Name

Cyfeiriad / Address

Rhif Ffôn(au) / Phone(s)

Enw / Name

Cyfeiriad / Address

Rhif Ffôn(au) / Phone(s)

Enw / Name

Cyfeiriad / Address

Rhif Ffôn(au) / Phone(s)

Enw / Name

Cyfeiriad / Address

Rhif Ffôn(au) / Phone(s)

Enw / Name

Cyfeiriad / Address

Rhif Ffôn(au) / Phone(s)

Enw / Name

Cyfeiriad / Address

Rhif Ffôn(au) / Phone(s)

Enw / Name

Cyfeiriad / Address

Rhif Ffôn(au) / Phone(s)

Enw / Name

Cyfeiriad / Address

Rhif Ffôn(au) / Phone(s)

PORT TALBOT, FFORD YR ORSAF c1955 P139021
Port Talbot, Station Road c1955 P139021

Enw / Name

Cyfeiriad / Address

Rhif Ffôn(au) / Phone(s)

Enw / Name

Cyfeiriad / Address

Rhif Ffôn(au) / Phone(s)

Enw / Name

Cyfeiriad / Address

Rhif Ffôn(au) / Phone(s)

Enw / Name

Cyfeiriad / Address

Rhif Ffôn(au) / Phone(s)

Enw / Name

Cyfeiriad / Address

Rhif Ffôn(au) / Phone(s)

Enw / Name

Cyfeiriad / Address

Rhif Ffôn(au) / Phone(s)

T

Enw / Name

Cyfeiriad / Address

Rhif Ffôn(au) / Phone(s)

Enw / Name

Cyfeiriad / Address

Rhif Ffôn(au) / Phone(s)

Enw / Name

Cyfeiriad / Address

Rhif Ffôn(au) / Phone(s)

Enw / Name

Cyfeiriad / Address

Rhif Ffôn(au) / Phone(s)

Enw / Name

Cyfeiriad / Address

Rhif Ffôn(au) / Phone(s)

Enw / Name

Cyfeiriad / Address

Rhif Ffôn(au) / Phone(s)

MARGAM, Y CAPEL CRWN 1938   88302
Margam, Round Chapel 1938   88302

Enw / Name

Cyfeiriad / Address

Rhif Ffôn(au) / Phone(s)

Enw / Name

Cyfeiriad / Address

Rhif Ffôn(au) / Phone(s)

Enw / Name

Cyfeiriad / Address

Rhif Ffôn(au) / Phone(s)

Enw / Name

Cyfeiriad / Address

Rhif Ffôn(au) / Phone(s)

Enw / Name

Cyfeiriad / Address

Rhif Ffôn(au) / Phone(s)

Enw / Name

Cyfeiriad / Address

Rhif Ffôn(au) / Phone(s)

Enw / Name

Cyfeiriad / Address

Rhif Ffôn(au) / Phone(s)

CASNEWYDD, YR HEN DŶ MURENGER c1950 N25139
Newport, Ye Olde Murenger House c1950 N25139

Enw / Name

Cyfeiriad / Address

Rhif Ffôn(au) / Phone(s)

Enw / Name

Cyfeiriad / Address

Rhif Ffôn(au) / Phone(s)

Enw / Name

Cyfeiriad / Address

Rhif Ffôn(au) / Phone(s)

Enw / Name

Cyfeiriad / Address

Rhif Ffôn(au) / Phone(s)

Enw / Name

Cyfeiriad / Address

Rhif Ffôn(au) / Phone(s)

Enw / Name

Cyfeiriad / Address

Rhif Ffôn(au) / Phone(s)

Enw / Name

Cyfeiriad / Address

Rhif Ffôn(au) / Phone(s)

Enw / Name

Cyfeiriad / Address

Rhif Ffôn(au) / Phone(s)

LLANFAIRFECHAN, Y TRAETH 1890 23212
Llanfairfechan, The Sands 1890 23212

Mae'r gyrchfan ddymunol yma, wedi ei hadeiladau o gerrig, yn clystyru o dan lethrau serth caregog y mynyddoedd arfordirol ar Fae Conwy ac yn edrych ar draws ddynesfeydd eang Culfor Menai i Ynys Môn. Mae'r darlun yn dangos y Stryd Fawr gul a dirdro wedi ei chyfyngu dan y mynydd.

This pleasant stone-built Victorian seaside resort clusters beneath the steep craggy slopes of the coastal mountains on Conwy Bay, and looks across the broad eastern approaches of the Menai Strait to Anglesey. This photograph shows the narrow twisting Main Street constrained beneath the mountain.

U

Enw / Name

Cyfeiriad / Address

Rhif Ffôn(au) / Phone(s)

Enw / Name

Cyfeiriad / Address

Rhif Ffôn(au) / Phone(s)

Enw / Name

Cyfeiriad / Address

Rhif Ffôn(au) / Phone(s)

Enw / Name

Cyfeiriad / Address

Rhif Ffôn(au) / Phone(s)

Enw / Name

Cyfeiriad / Address

Rhif Ffôn(au) / Phone(s)

Enw / Name

Cyfeiriad / Address

Rhif Ffôn(au) / Phone(s)

YR WYDDGRUG, Y STRYD FAWR c1955 M201009
Mold, High Street c1955 M201009

U

Enw / Name

Cyfeiriad / Address

Rhif Ffôn(au) / Phone(s)

Enw / Name

Cyfeiriad / Address

Rhif Ffôn(au) / Phone(s)

Enw / Name

Cyfeiriad / Address

Rhif Ffôn(au) / Phone(s)

Enw / Name

Cyfeiriad / Address

Rhif Ffôn(au) / Phone(s)

Enw / Name

Cyfeiriad / Address

Rhif Ffôn(au) / Phone(s)

Enw / Name

Cyfeiriad / Address

Rhif Ffôn(au) / Phone(s)

PENARLÂG, Y PENTREF 1903   49656
Harwarden, The Village 1903   49656

U

Enw / Name

Cyfeiriad / Address

Rhif Ffôn(au) / Phone(s)

Enw / Name

Cyfeiriad / Address

Rhif Ffôn(au) / Phone(s)

Enw / Name

Cyfeiriad / Address

Rhif Ffôn(au) / Phone(s)

Enw / Name

Cyfeiriad / Address

Rhif Ffôn(au) / Phone(s)

Enw / Name

Cyfeiriad / Address

Rhif Ffôn(au) / Phone(s)

Enw / Name

Cyfeiriad / Address

Rhif Ffôn(au) / Phone(s)

Enw / Name

Cyfeiriad / Address

Rhif Ffôn(au) / Phone(s)

Enw / Name

Cyfeiriad / Address

Rhif Ffôn(au) / Phone(s)

ABERMO, Y PORTHLADD 1913 65887
Barmouth, The Harbour 1913 65887

Roedd y dref unwaith yn ganolfan adeiladu llongau a'r prif borthladd ym Meirionydd, gyda masnach fawr yng ngwlanen a hosanau wedi eu gwau. Heddiw, mae'r Ras Tri Chopa yn dechrau yma. Mae'r cei yn para i fod yn fan cychwyn ar gyfer y ferri i Fairbourne ar yr ochr arall yr aber.

This town was once a shipbuilding centre and the chief port of Merioneth, with a large trade in flannel and knitted stockings. Today, the Tree Peaks Race starts here. The quay is still the departure point for the ferry to Fairbourne on the opposite side of the estuary.

V

V

Enw / Name

Cyfeiriad / Address

Rhif Ffôn(au) / Phone(s)

Enw / Name

Cyfeiriad / Address

Rhif Ffôn(au) / Phone(s)

Enw / Name

Cyfeiriad / Address

Rhif Ffôn(au) / Phone(s)

Enw / Name

Cyfeiriad / Address

Rhif Ffôn(au) / Phone(s)

Enw / Name

Cyfeiriad / Address

Rhif Ffôn(au) / Phone(s)

Enw / Name

Cyfeiriad / Address

Rhif Ffôn(au) / Phone(s)

Enw / Name

Cyfeiriad / Address

Rhif Ffôn(au) / Phone(s)

YNYS Y BARRI, PADLO 1925 77482
Barry Island, Paddling 1925 77482

Enw / Name

Cyfeiriad / Address

Rhif Ffôn(au) / Phone(s)

Enw / Name

Cyfeiriad / Address

Rhif Ffôn(au) / Phone(s)

Enw / Name

Cyfeiriad / Address

Rhif Ffôn(au) / Phone(s)

Enw / Name

Cyfeiriad / Address

Rhif Ffôn(au) / Phone(s)

Enw / Name

Cyfeiriad / Address

Rhif Ffôn(au) / Phone(s)

Enw / Name

Cyfeiriad / Address

Rhif Ffôn(au) / Phone(s)

Enw / Name

Cyfeiriad / Address

Rhif Ffôn(au) / Phone(s)

CASTELL HARLECH 1889 21736
Harlech Castle 1889 21736

V

Enw / Name

Cyfeiriad / Address

Rhif Ffôn(au) / Phone(s)

Enw / Name

Cyfeiriad / Address

Rhif Ffôn(au) / Phone(s)

Enw / Name

Cyfeiriad / Address

Rhif Ffôn(au) / Phone(s)

Enw / Name

Cyfeiriad / Address

Rhif Ffôn(au) / Phone(s)

Enw / Name

Cyfeiriad / Address

Rhif Ffôn(au) / Phone(s)

Enw / Name

Cyfeiriad / Address

Rhif Ffôn(au) / Phone(s)

Enw / Name

Cyfeiriad / Address

Rhif Ffôn(au) / Phone(s)

Enw / Name

Cyfeiriad / Address

Rhif Ffôn(au) / Phone(s)

CENARTH, TROCHI DEFAID c1960   C376034
Cenarth, Sheep Dipping c1960   C376034

Lleolir Cenarth ar lan yr afon a ffiniau Ceredigion. Byddai'r porthmyn a'r
cŵn yn gyrru'r defaid i'r afon, ac yn eu gorfodi i nofio i'r ochr arall ac felly
yn sicrhau eu bod yn cael eithaf drochiad. Roedd dynion y cwrwgl yn mynd
i'r afon i sicrhau eu bod yn croesi'n ddiogel.

*Cenarth is situated alongside the river Teifi and the Cardiganshire border.
The drovers and dogs would drive the sheep into the river, forcing them to
swim to the other side and thus get a thoroughly good dipping. They valued
their sheep very highly – the coracle men took to the river to ensure they all
got across safely.*

W

Enw / Name

Cyfeiriad / Address

Rhif Ffôn(au) / Phone(s)

Enw / Name

Cyfeiriad / Address

Rhif Ffôn(au) / Phone(s)

Enw / Name

Cyfeiriad / Address

Rhif Ffôn(au) / Phone(s)

Enw / Name

Cyfeiriad / Address

Rhif Ffôn(au) / Phone(s)

Enw / Name

Cyfeiriad / Address

Rhif Ffôn(au) / Phone(s)

Enw / Name

Cyfeiriad / Address

Rhif Ffôn(au) / Phone(s)

Enw / Name

Cyfeiriad / Address

Rhif Ffôn(au) / Phone(s)

Enw / Name

Cyfeiriad / Address

Rhif Ffôn(au) / Phone(s)

PORTHMADOG, Y STRYD FAWR 1933 85649
Porthmadog, High Street 1933 85649

Enw / Name

Cyfeiriad / Address

Rhif Ffôn(au) / Phone(s)

Enw / Name

Cyfeiriad / Address

Rhif Ffôn(au) / Phone(s)

Enw / Name

Cyfeiriad / Address

Rhif Ffôn(au) / Phone(s)

Enw / Name

Cyfeiriad / Address

Rhif Ffôn(au) / Phone(s)

Enw / Name

Cyfeiriad / Address

Rhif Ffôn(au) / Phone(s)

Enw / Name

Cyfeiriad / Address

Rhif Ffôn(au) / Phone(s)

W

Enw / Name

Cyfeiriad / Address

Rhif Ffôn(au) / Phone(s)

Enw / Name

Cyfeiriad / Address

Rhif Ffôn(au) / Phone(s)

Enw / Name

Cyfeiriad / Address

Rhif Ffôn(au) / Phone(s)

Enw / Name

Cyfeiriad / Address

Rhif Ffôn(au) / Phone(s)

Enw / Name

Cyfeiriad / Address

Rhif Ffôn(au) / Phone(s)

Enw / Name

Cyfeiriad / Address

Rhif Ffôn(au) / Phone(s)

SAUNDERSFOOT, Y PORTHLADD 1925 77280
Saundersfoot, Harbour 1925 77280

Enw / Name

Cyfeiriad / Address

Rhif Ffôn(au) / Phone(s)

Enw / Name

Cyfeiriad / Address

Rhif Ffôn(au) / Phone(s)

Enw / Name

Cyfeiriad / Address

Rhif Ffôn(au) / Phone(s)

Enw / Name

Cyfeiriad / Address

Rhif Ffôn(au) / Phone(s)

Enw / Name

Cyfeiriad / Address

Rhif Ffôn(au) / Phone(s)

Enw / Name

Cyfeiriad / Address

Rhif Ffôn(au) / Phone(s)

Enw / Name

Cyfeiriad / Address

Rhif Ffôn(au) / Phone(s)

PORTH TYWYN, YR ORSAF A STRYD YR ORSAF c1955 B472036
Burry Port, The Station and Station Road c1955 B472036

Enw / Name

Cyfeiriad / Address

Rhif Ffôn(au) / Phone(s)

Enw / Name

Cyfeiriad / Address

Rhif Ffôn(au) / Phone(s)

Enw / Name

Cyfeiriad / Address

Rhif Ffôn(au) / Phone(s)

Enw / Name

Cyfeiriad / Address

Rhif Ffôn(au) / Phone(s)

Enw / Name

Cyfeiriad / Address

Rhif Ffôn(au) / Phone(s)

Enw / Name

Cyfeiriad / Address

Rhif Ffôn(au) / Phone(s)

Enw / Name

Cyfeiriad / Address

Rhif Ffôn(au) / Phone(s)

Enw / Name

Cyfeiriad / Address

Rhif Ffôn(au) / Phone(s)

TALACHARN, Y BAD DŶ c1955 L250046
Laugharne, The Boat House c1955 L250046

Mae'r tŷ bad atyniadol yma wedi ei osod ar waelod clogwyn serth ar ochr yr Afon Taf a'i lannau 'crychydd-offeiriadol'. Bu'r bardd Dylan Thomas yn byw yma am y bedair blynedd olaf ei fywyd, ac mae nawr yn ganolfan treftadaeth iddo. Bu'r olygfa yn ysbrydoliaeth iddo ysgrifennu nifer o'i gerddi enwog ac mae'r pentref Llareggub yn 'Dan y Wenallt' i'w weld i raddau helaeth, yn seiliedig ar Dalacharn.

This attractive boat house is set at the foot of a steep cliff alongside the River Taf with its 'heron-priested' shore. The poet Dylan Thomas lived here for the last four years of his life, and it is now a heritage centre devoted to him. The town of Llareggub in 'Under Milk Wood' is seen to be largely based on Laugharne.

XY

Enw / Name

Cyfeiriad / Address

Rhif Ffôn(au) / Phone(s)

Enw / Name

Cyfeiriad / Address

Rhif Ffôn(au) / Phone(s)

Enw / Name

Cyfeiriad / Address

Rhif Ffôn(au) / Phone(s)

Enw / Name

Cyfeiriad / Address

Rhif Ffôn(au) / Phone(s)

Enw / Name

Cyfeiriad / Address

Rhif Ffôn(au) / Phone(s)

Enw / Name

Cyfeiriad / Address

Rhif Ffôn(au) / Phone(s)

Y DRENEWYDD, DIWRNOD Y FARCHNAD 1950 N171036
Newtown, Market Day 1950 N171036

Enw / Name

Cyfeiriad / Address

Rhif Ffôn(au) / Phone(s)

Enw / Name

Cyfeiriad / Address

Rhif Ffôn(au) / Phone(s)

Enw / Name

Cyfeiriad / Address

Rhif Ffôn(au) / Phone(s)

Enw / Name

Cyfeiriad / Address

Rhif Ffôn(au) / Phone(s)

Enw / Name

Cyfeiriad / Address

Rhif Ffôn(au) / Phone(s)

Enw / Name

Cyfeiriad / Address

Rhif Ffôn(au) / Phone(s)

Enw / Name

Cyfeiriad / Address

Rhif Ffôn(au) / Phone(s)

BIWMARES, Y PEN GORRLLEWINOL 1904 53029
Beaumaris, West End 1904 53029

Enw / Name

Cyfeiriad / Address

Rhif Ffôn(au) / Phone(s)

Enw / Name

Cyfeiriad / Address

Rhif Ffôn(au) / Phone(s)

Enw / Name

Cyfeiriad / Address

Rhif Ffôn(au) / Phone(s)

Enw / Name

Cyfeiriad / Address

Rhif Ffôn(au) / Phone(s)

Enw / Name

Cyfeiriad / Address

Rhif Ffôn(au) / Phone(s)

Enw / Name

Cyfeiriad / Address

Rhif Ffôn(au) / Phone(s)

Enw / Name

Cyfeiriad / Address

Rhif Ffôn(au) / Phone(s)

Enw / Name

Cyfeiriad / Address

Rhif Ffôn(au) / Phone(s)

LLANGOLLEN, Y GAMLAS 1913 65830
Llangollen, The Canal 1913 65830

Ymhell cyn i ddiwydiant gwyliau badau ddechrau, roedd taith mewn bad
wedi ei dynnu gan geffyl yn Llangollen yn wibdaith boblogaidd. Tynnwyd y
badau hyd terfyn y daith a symudwyd y ceffyl a'r llyw i'r pen arall ar gyfer y
daith yn ôl, gan ddatrys y broblem o ddiffyg gofod ar gyfer troi'r bad.

*Long before the holiday boat industry took off, a trip behind a horse-drawn
boat in Llangollen was a popular outing. The boats are towed to the end of
the cruise and then both horse and rudder are moved to the opposite end for
the return trip, thus solving the problem caused by the lack of turning space.*

Z

Enw / Name

Cyfeiriad / Address

Rhif Ffôn(au) / Phone(s)

Enw / Name

Cyfeiriad / Address

Rhif Ffôn(au) / Phone(s)

Enw / Name

Cyfeiriad / Address

Rhif Ffôn(au) / Phone(s)

Enw / Name

Cyfeiriad / Address

Rhif Ffôn(au) / Phone(s)

Enw / Name

Cyfeiriad / Address

Rhif Ffôn(au) / Phone(s)

Enw / Name

Cyfeiriad / Address

Rhif Ffôn(au) / Phone(s)

Enw / Name

Cyfeiriad / Address

Rhif Ffôn(au) / Phone(s)

Enw / Name

Cyfeiriad / Address

Rhif Ffôn(au) / Phone(s)

As interest in family history and roots grows world-wide, more and more people are turning to Frith's photographs of Great Britain for images of the towns, villages and streets where their ancestors lived.

Any photograph in this address book which is titled and dated can be ordered as a framed or mounted print - please quote the unique reference number of the individual photograph.
All other photographs in the Frith archive are also available as framed or mounted prints. Please order from the address below. From time to time, other illustrated items such as Cyfeiriad / Address Books, Calendars and Table Mats are also available.

The Francis Frith Collection has published over 400 local history books, each lavishly illustrated with photographs from the archive. They cover the counties and towns of Britain, as well as a range of fascinating theme subjects. For a full list, contact the Collection at the address or phone number below, or browse the Frith website.

Already, almost 50,000 Frith photographs can be viewed and purchased on the internet through the Frith website and a myriad of partner sites.

For more detailed information on Frith companies and products, visit:

www.francisfrith.co.uk

Or contact:

The Francis Frith Collection,
Frith's Barn, Teffont,
Salisbury, Wiltshire SP3 5QP
Tel: +44 (0) 1722 716 376